Positive Self Love Word Search For Women

This Book
Belongs To:

_____

Instructions

You will find a list of words and a puzzle on each page.
Find each word on the list in the puzzle and circle it.
The words can be in any direction.

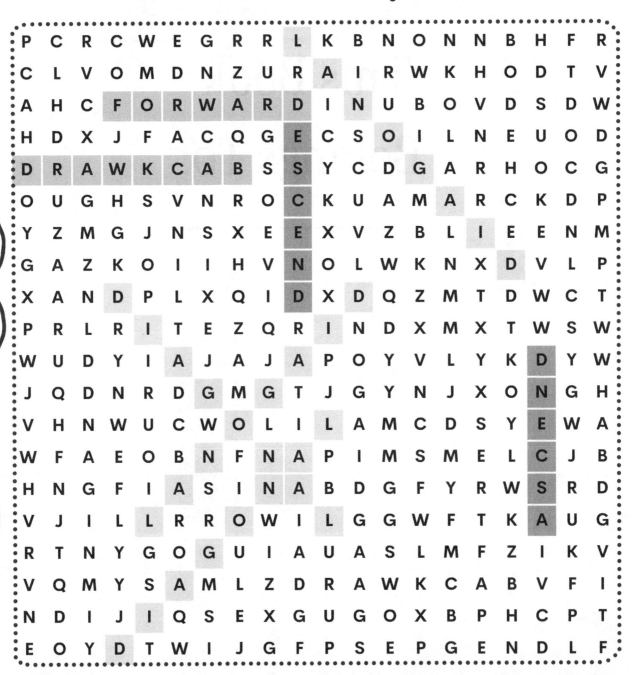

P	C	R	C	W	E	G	R	R	L	K	B	N	O	N	N	B	H	F	R
C	L	V	O	M	D	N	Z	U	R	A	I	R	W	K	H	O	D	T	V
A	H	C	F	O	R	W	A	R	D	I	N	U	B	O	V	D	S	D	W
H	D	X	J	F	A	C	Q	G	E	C	S	O	I	L	N	E	U	O	D
D	R	A	W	K	C	A	B	S	S	Y	C	D	G	A	R	H	O	C	G
O	U	G	H	S	V	N	R	O	C	K	U	A	M	A	R	C	K	D	P
Y	Z	M	G	J	N	S	X	E	E	X	V	Z	B	L	I	E	E	N	M
G	A	Z	K	O	I	I	H	V	N	O	L	W	K	N	X	D	V	L	P
X	A	N	D	P	L	X	Q	I	D	X	D	Q	Z	M	T	D	W	C	T
P	R	L	R	I	T	E	Z	Q	R	I	N	D	X	M	X	T	W	S	W
W	U	D	Y	I	A	J	A	J	A	P	O	Y	V	L	Y	K	D	Y	W
J	Q	D	N	R	D	G	M	G	T	J	G	Y	N	J	X	O	N	G	H
V	H	N	W	U	C	W	O	L	I	L	A	M	C	D	S	Y	E	W	A
W	F	A	E	O	B	N	F	N	A	P	I	M	S	M	E	L	C	J	B
H	N	G	F	I	A	S	I	N	A	B	D	G	F	Y	R	W	S	R	D
V	J	I	L	L	R	R	O	W	I	L	G	G	W	F	T	K	A	U	G
R	T	N	Y	G	O	G	U	I	A	U	A	S	L	M	F	Z	I	K	V
V	Q	M	Y	S	A	M	L	Z	D	R	A	W	K	C	A	B	V	F	I
N	D	I	J	I	Q	S	E	X	G	U	G	O	X	B	P	H	C	P	T
E	O	Y	D	T	W	I	J	G	F	P	S	E	P	G	E	N	D	L	F

Solutions for each puzzle can be found in the back of the book starting on page 109

Puzzle #1
START A GRATITUDE JAR AND FILL IT WITH NOTES OF APPRECIATION

```
M Z B Q S S E N E R A W A A D O K G X J
S B V O R K A U G S S E N I P P A H F W
T K K E R K G Q L N G J A R T C V T Q O
W L D K E W E X L E G X Z L I K K D F M
N V C J F O A T D B Z T M V N H A S F T
W G M W L X S E L J K Y Z O J F G Y U W
P R Z N E K F I N E Q E I H U P F I P M
O A U U C E Q U N A F T A G J Y H F W D
S T U J T N O T E S A T L R T G F Y M M
I I S Q I S S Y O I P U R R H A D T I R
T T S Q O G I C H F I R A F Y B I N T
I U E V N X R E N K T E R F E H Q N D Q
V D N Y B Z R Y N I M V U I T H M E F K
I E D I D P J A O I S B A W N T S R U N
T I N F P H H A N J A S O I J G N E L O
Y C I A T T V D K M B R E E Q T U S N Y
L Z K J T S E N Y K G F X L S Z U X E K
D G F R Y R R P V D K Z H Z B D S X S M
B F P N S U S S E N L U F E T A R G S I
R C A F Q M T B J S U A B U N D A N C E
```

ABUNDANCE	**GRATITUDE**	**JAR**	**POSITIVITY**
APPRECIATION	**GROWTH**	**JOY**	**REFLECTION**
AWARENESS	**HAPPINESS**	**KINDNESS**	**REMINDERS**
BLESSINGS	**HEARTFELT**	**MINDFULNESS**	**SERENITY**
GRATEFULNESS	**INSPIRING**	**NOTES**	**THANKFUL**

Puzzle #2
SPEND TIME IN THE SUN AND SOAK UP SOME VITAMIN D

```
N F S N T P R H E U V Q Y P Z P G W H X
Z P S D J N G A Z P E N I H S N U S L T
T C U Y A R L V Y S Y F S T I C N E A R
Y K N X L U A B F S U U E U C E P N L F
D R S Z L B P M R V N N C B C R U H C O
Z R E S E N G U A B I A B Y V A U N C V
J S E B R U T E A S B T M A C L I P O E
G R K X B S B K B R A A A W T G D Y T L
C E E J N Q E G W W E R A M D H W G P
Z G R I U D Y X L B J X Y K I H E A Y Q
E N H X S N X B N D S M R C K N X R X V
R U A J H A E U E U E U S E E E R M E X
H O H V M I S E N A Q S D U O D T D S
P L U A D B V L R C C G C L G K I H A C
G Q M F N S I I P C P H R A L O S W H G
R G A T K G I C K I S M X B N P J H S I
R M O E H N V K Z Z S N T B I B R U N M
B W J T I U K K A O S N U B H B T S U O
B P T B F E P L K Y J Y G S N Z C T S B
O Z G D Q Y H V W F F C G R L R J F N Y
```

BEACH	**SOAK**	**SUNBRELLA**	**SUNSHADE**
DECK	**SOLAR**	**SUNBURN**	**SUNSHINE**
GLARE	**SUNBAKED**	**SUNLIGHT**	**TAN**
LOUNGERS	**SUNBATHE**	**SUNSCREEN**	**VITAMIN**
RAYS	**SUNBEAM**	**SUNSEEKER**	**WARMTH**

Puzzle #3
VOLUNTEER OR ENGAGE IN COMMUNITY ACTIVITIES

```
T O P X A M X E N G A G E M E N T R C X
R R Y I Q F J H B F C I V I C I E O S Y
U V O L U N T E E R I S M G U E N N Q W
Z E W H Y S X Q F B Z Q Y W T T A O W T
H H M U W C U X T F M X J N R P E I C N
V C A P R C A D W N M G U I O B M T C E
K A S T W W F C S K R L B L G S P A L M
D E V V J C R U O A O U I M N P O R W E
Y R J B A N P E S V T F Q S I H W O F V
T T D M P P N S H I D C J A P I E B B L
M U T V O R R X O N W A A Q L L R A F O
E O X R T O U N H N D E F X E A M L W V
K K T G O T C T C A P M I D H N E L H N
P U Z T S E R V I C E P T Z X T N O F I
V H S Z M C L T Q G I V I N G H T C L U
R K D R Z T I F O R P N O N B R O O G F
Z Y H Z E R N P B E Y I B R O O K S F Y
H B G S Q Y T I N U M M O C A P B W D P
P U C P N J W Y H O P K D F X Y Q X N W
O V C H A R I T Y K R W Z N U S G P S U
```

ADVOCACY	CONTRIBUTION	HELPING	PHILANTHROPY
CHARITY	EMPOWERMENT	IMPACT	SERVICE
CIVIC	ENGAGEMENT	INVOLVEMENT	SUPPORT
COLLABORATION	GIVING	NONPROFIT	VOLUNTEER
COMMUNITY	GRASSROOTS	OUTREACH	VOLUNTEERISM

Puzzle #4
HAVE A MOVIE NIGHT WITH POPCORN AND YOUR FAVORITE FILMS

```
F Q Y M K S O O J K F Z N O V T A D N N
O Z I S O H G Z D Q B A Y H R H U Y K N
E B S O X U V U W Y I R U V S U S W J D
N R S Y P R R U Q G B Z Z O V M K I A E
T S T G Y D H O L T I X S A L M X S L C
E L E E Z B L A H L F E I I I J T E C J
R Q K K O Y T H L F E C F J O X G T D F
T W N C C S V G R C P I G Y R D U I N V
A F A I O X V C M A J Z Q G E W X R O D
I X L N Y X W Q S N A C K S C P W O I S
N N B V G A M W S G N E X C L C L V T G
M P E R M R E T B A P S P L I U A A A Z
E P Y E W O R Y C B I K O A N U U F X G
N E N X K E F U M O L M P S E O G I A G
T I A Y A M J V Z E L O C S R K H T L R
C S D M O Z H Z Y M O V O I L K T M E V
H W I C V I R G A O W I R C T X E A R M
N N F I M M C K G H S E N S K W R D B P
G X H O F R E T A E H T G T Z M H W H Q
A B L O C K B U S T E R S X V X Z B O B
```

BLANKETS	COZY	LAUGHTER	RECLINER
BLOCKBUSTERS	ENTERTAINMENT	MOVIE	RELAXATION
CINEMA	FAVORITES	NOSTALGIA	SNACKS
CLASSICS	FILMS	PILLOWS	STREAMING
COMFY	HOME	POPCORN	THEATE

Puzzle #5
TRY A NEW FORM OF EXERCISE, SUCH AS PILATES OR KICKBOXING

```
U R Z Q J E F W O R K O U T N M C L J P
Y R G N J Y O R E S I S T A N C E Q U Y
J E Y U H S O I E F L E X I B I L I T Y
I S L A M H S N D G I Z K Y T R C K E U
E K G T D O D A N R Y C F H P P K Q T Z
V Z L J Y U B I Y T A P O F F G B U Y C
T Y F P R M X T I E U C T I P S Q K K T
X I O A U O R L V R O B F Z M K A J Q E
J Y N Z B A I K X O A P I L A T E S P P
S C Z K I G Q Y O C K E S I C R E X E Z
E F C N A P I W G H A S V H I E X J C V
B I I V H T T N T E T J B G J C C T T P
K N U K I S D G R A Q U D W O V W S N E
G Z S C Y E N O M Y R S F O G I A R E J
F S Z J M E B I G O I B S S B J A M M G
F A K S R I N S E G H B J E O R N Q E Z
B Z I T C A K V U A B S R N N W N Y V V
J C S S Q N L B B A L A N C E T W Q O N
R B T K B T H G I E W Y D O B I I H M R
C S V Z Y E Y H R K Z Z O J H F T F X I
```

AEROBICS	CORE	KICKBOXING	STRENGTH
AGILITY	ENDURANCE	MOVEMENT	TRAINING
BALANCE	EXERCISE	PILATES	WORKOUT
BODYWEIGHT	FITNESS	RESISTANCE	YOGA
CARDIO	FLEXIBILITY	STAMINA	ZUMBA

TAKE A RELAXING BATH

```
T R Y N H I N A K H F P Q I K S X B V X
I S E V M V A D S F T V Y N N H D J H U
D S H V A Z A B R S B T W D Y L V L U Z
E E M J I H T X I I I H P U F L C U S E
F R S M P T H B U I K L N L I O W G S R
N P T S Z D A O Q E L H B G X G N R E V
B M K O R Z D L X F U F T E O Z L X R B
W O R O Z L X A I Y S S J P T I M L T Q
B C U T D U L O A Z E H I G E M J E S L
N E N H Y E Q I P R E F W S D P Q J E U
X D H E R M L A C O Z R I G E J Y T D X
N Z O S M C M A I H E Y T Q S A A N S U
H P Z C I P O B T S U A C Q O N D O U R
K S M W E R A B T G X N U C E E A O C I
T P E R E T U O K A K V T V T K Y B M A
N T L R H N R O F G K Z U X R S U M Q T
U J U E F E E G N U M J L X D N R A H E
U P P Q G E C R Q Q E T W B J V X X Y H
W O G N R W R W X R R S C D N I W N U P
N U F B W E O K M E T G Q A T C I L E C
```

BATHE	**DETOXIFY**	**REFRESH**	**RESTORE**
BLISS	**INDULGE**	**REJUVENATE**	**REVITALIZE**
CALM	**LUXURIATE**	**RELAX**	**SOAK**
DE-STRESS	**NOURISH**	**RENEW**	**SOOTHE**
DECOMPRESS	**PAMPER**	**REST**	**UNWIND**

Puzzle #7

COOK A HEALTHY MEAL FOR YOURSELF

```
E W Y Q R E A B K K Z G W X C Q L X K L
D T L W I N G R E D I E N T S U T C T L
A Y H T L A E H C S V T U A F V I K M H
M S E L B A T E G E V B M R O N P P O E
E J X C F W I Z M G P H O N A Q W V C P
M P N U T R I T I O N V A G L W N D A R
O X V S E C G B K I A E R F V W W E I Q
H N M L C L A E M L L O J M R A N M R P
Q C S K I B V V F X B C V W O U S A Q H
D Y J C Q M G M W P O R B E A U I E Z Q
C V K H U W D V W O X V K R P L X T H M
N I E T O R P X K V U G W E D U S S B
L E Q V P K Z I A C I N R H V D G E I U
D I P D E C N A L A B F P H S F L O Q C
O K F I O G U P R E O C A K E E B C D K
H R M D C T Y K D O D L L N N R R M L M
U X J A X E I G D U S E C I P S B F N N
V H A Q V R R S A U W D H K W Q G S I Y
K V D A U F I F M C Y K M P U S I U N L
X D Q H W S T E Q N U T R I T I O U S Y
```

BALANCED	HEALTHY	MEAL	RECIPE
COOKING	HERBS	NUTRITION	SPICES
FLAVORFUL	HOMEMADE	NUTRITIOUS	STEAMED
FRESH	INGREDIENTS	ORGANIC	SUPERFOODS
FRUITS	LEAN	PROTEIN	VEGETABLES

DO A PUZZLE OR PLAY A BOARD GAME

```
R R N O I T I T E P M O C M S O J P N Q
E N T E R T A I N M E N T N E D G J G J
C Q F Z N C X A L E H D U G O M R H S L
P F B S X H K G T J T R Q G Y I O A P E
Y T G Y X E D H M T H Z O A X U P R C E
H K L N P S V M P R R N L G E C I D Y Q
L G W S Q S X O T M Z P Y C U T P Q A A
J O A K Q D Q T P P D B L S V E D G C R
G I G I Q L E J M R E E I A I Q S O O C
A F G I V D G E O G E J M G S O T S O H
A J D S C I V W N N I D A H C O R D P R
E D R V A F R E U I E K F Y R X A N E W
Z Z G L U W L T T U B Y G C A C T E R E
F E G N S L W E L Z Z U P H B D E I A J
C L D Q A I V S E O L L S E B P G R T T
G Y F H N X R X B K D D H C L Z Y F I A
K Q C W W W V J E F T Q Y K E L G Y V F
H S M A O G Z I K P I N Z E L N Z H E H
X B Z O N S U D O K U O V R M W U I T D
B P K R S G C W Y D S Q C S T L N R X E
```

CARDS	**COOPERATIVE**	**FUN**	**SCRABBLE**
CHALLENGE	**DICE**	**JIGSAW**	**STRATEGY**
CHECKERS	**ENTERTAINMENT**	**LOGIC**	**SUDOKU**
CHESS	**FAMILY**	**MEMORY**	**TRIVIA**
COMPETITION	**FRIENDS**	**PUZZLE**	**WORDPLAY**

Puzzle #9

PLANT FLOWERS OR START A SMALL GARDEN

```
P T E R C K B M S L A I N N E R E P U A
D I P M G Q C A U L C R C X I O M U N O
N A Q O U N A O Q L N U D S H G Z N W J
Z C W N W U I O M J C D U G U S U N A C
H V Q Q C E O T V P I H T S M A Y O K R
P L A N T I N G U F O C B O L I U D O K
U L S T L C W D L O C S O S P C U X G Y
W J R C H X E Z D Q R L T G G L Q E P J
N V E T X S E R F K B P Z I R U A H A N
P J W E W Z D P Z K E M S D N Z Z N V T
O S O W D I I E R G Y Z T G S G E D T N
L Y L H D Y N S E U A L L H A A L X G S
L Q F S O I G O H S N R V D Y B R B N R
I C R D U U Z I U M L I D S K E G X I E
N J Q T H G I L N U S W N E Q O R M R I
A Y Q Z V B W H Q M N B H G N E B S E M
T K V F E R T I L I Z E R A K I S F T Q
O P H W V Z R D Q W Q O C J B T N S A V
R T R A N S P L A N T I N G S Z C G W R
S L A N D S C A P I N G Q J W W H U W T
```

ANNUALS	GARDENING	PLANTS	SPROUTING
BLOOMS	LANDSCAPING	POLLINATORS	SUNLIGHT
COMPOSTING	MULCH	PRUNING	TRANSPLANTING
FERTILIZER	PERENNIALS	SEEDS	WATERING
FLOWERS	PLANTING	SOIL	WEEDING

Puzzle #10
WRITE DOWN YOUR STRENGTHS AND POSITIVE QUALITIES

```
S H B Q G U W C O M M U N I C A T I O N
X L H U M I L I T Y G B R F H M P M Z T
D Z G O P T N E M R E W O P M E H I B V
E T T W J R Q K U K K I B F R D G E K Z
T X N S W U K X A X Y T I V I T A E R C
E P E R S E V E R A N C E E R P U P D V
R K E H V A L E A D E R S H I P O P O Q
M Z S X N G G I S K N Y J U M S N A A U
I Q U N V A Z N I E T N B B I Q L S W N
N J Q F R A O S O I I R T T S G H S N J
A O Q U Y S S P L I E T I I X O J I G Q
T I O U A E H I T S S V I C X Z T O H J
I C P T N I B T I I E S P L U L A N M K
O J B D W A V L G B M H A A A X O Q I A
N S N S T R I Z Q N L I S P T U M D Z R
W I E P C E Z N K L E O S H M I Q X Q M
K H A A N W U M X T J R D M C O E J T L
L D M C P N Y T I R G E T N I A C N H F
A V E L K Z B R S P B R P S L D J I C A
L W W E C N E G I L L E T N I U Y H T E
```

ADAPTABILITY	DETERMINATION	KINDNESS	PERSEVERANCE
COMMUNICATION	EMPOWERMENT	LEADERSHIP	POSITIVE
COMPASSION	HUMILITY	OPTIMISM	QUALITIES
COURAGE	INTEGRITY	PASSION	RESILIENCE
CREATIVITY	INTELLIGENCE	PATIENCE	STRENGTHS

Puzzle #11

TAKE A SCENIC HIKE OR NATURE WALK

```
M M B Z R A W I L D L I F E C W M X O G
F N I M X O Y N G E P L L A F R E T A W
G E V C R I V E R R N S G M E T W R K F
Y B N B X P Y L J U C Q N I Y D I V W K
W K P E Y Q E F C T A G Y S T D D Q X R
T B O N R V S I V A E N D P J H W P S V
X I F L G E N W N N J U X J V T L A S Y
Q P K Q H E S G T O I O G R F T Y G E O
F N F Q C C O Q Z B H E L B O B F E N U
D O L S N I A T N U O M Y L R D L U R T
G I Y A D Y S T R A I L L I E B O L E D
L T Y A K W F A E O A U Y M S E I W D O
S A Z M E E U P V A L L E Y T U W Y L O
J R Y B K A S T T P F Z U X Q F A S I R
U O K N I J H I F G V N B N J R M Z W S
I L N L H X F A D D F I A X O F S Q D Y
M P Y Z O M U R G E W R Q L F U R U X E
P X Z Y C N G E D T T L F Q D M X Y A R
G E A I A G N I K C A P K C A B R S A Z
E Q V G E R U T N E V D A X Q A E X E N
```

ADVENTURE	FOREST	OUTDOORS	TRANQUIL
BACKPACKING	HIKE	RIVER	VALLEY
EXPLORATION	LAKESIDE	SCENIC	WATERFALL
FAUNA	MOUNTAINS	SERENE	WILDERNESS
FLORA	NATURE	TRAIL	WILDLIFE

Puzzle #12
CREATE A VISION BOARD WITH YOUR GOALS AND ASPIRATIONS

```
P M O I L V V O G L R R F H W L L Z W V
C A N E Z I L A U S I V V R T B Q H O F
W N X F N O I T I B M A L Q W V Q S H T
S N T J N J Y M Z Z Z K N F G F N I A T
Y M M S E D D C S J R J O O X O N A C O
G D A N J W Z A H U D U Q A I T Q C H K
S P I E S R V U Q A I F R T E S E R I M
K O A Q R M S U A X A A A N J M I B E F
Z S O R E D F O C U S R T K Y P O V V M
Q I B I I G W F J J I I G P R A J N E H
N T X H J W W E J P O I W K R Y M O M B
L I N X W U S D S N E M K D T T O I E L
D V Z M B O E A L I C P S I T S T T N T
H I O E P T U E A O V E R J G U I A T G
U T N R C N V X O L R A J T W C V R F R
Y Y U Y V A G J G I L A I Z O C A I V O
W P O I W U T P S C Q D Q D S E T P J W
N O I T A T S E F I N A M A K S I S V T
S C Q M H B D C E M T N L W U S O N W H
E Z C N O I T A Z I L A U S I V N I M B
```

ACHIEVEMENT	DESIRES	INSPIRATION	PURPOSE
AMBITION	DREAMS	INTENTION	SUCCESS
ASPIRATIONS	FOCUS	MANIFESTATION	VISION
BOARD	GOALS	MOTIVATION	VISUALIZATION
CLARITY	GROWTH	POSITIVITY	VISUALIZE

Puzzle #13

PRACTICE DEEP BREATHING EXERCISES

```
X X D U K C W G N I D N U O R G V G F J
S E R E N I T Y P O R T C P I B J A I U
N A H S T Z E M C F N T R K L Q C P U G
V M P G Y D O Q E O O L H R L L E K U U
W A K W K N Y Q I W U C U P E F O Y X D
G Y C Q B M O T Z U G F U A P D F T O Y
N A U Q B A A I J S L H N S Q H G I S N
I N I C K X D E T H R S D C Y A M L N Z
R A J F A X U X X A I U L G M S B I O Y
E R M L B L I G Y N N A R E M R Z U I A
T P E R A A M V G G R E D J E U E Q Y S
N R G H L C E G A I N I V A J K O N T W
E G G E A O R R T E T H T U U N A A I V
C B F I N K C Y Y A T H X O J I N R L K
C Y O T C K V A T L W I F U V E F T A L
E J I C E K P I A O E C N E S E R P T R
A S W U A A O E R X U D Y A E X Q C I X
I U O C U N H K Q S L O J F V Y N Q V N
Z R M I N D F U L N E S S M W F P F M N
O O X Y G E N A T I O N X K M A Y Q L X
```

BALANCE	**CLEANSING**	**MEDITATION**	**REJUVENATION**
BREATHWORK	**ENERGY**	**MINDFULNESS**	**RELAXATION**
CALM	**FOCUS**	**OXYGENATION**	**SERENITY**
CENTERING	**GROUNDING**	**PRANAYAMA**	**TRANQUILITY**
CLARITY	**HEALTH**	**PRESENCE**	**VITALITY**

Puzzle #14
TAKE A DAY OFF FROM WORK TO REST AND RECHARGE

```
B K Y B M J C E C N E G L U D N I J V S
X L J G F K O L E I S U R E U N E E D G
X E G N I R E P M A P F O R W N T G L G
J Z T V N J H U N W I N D T E E H R X N
D I V W W E W C T X U P B G P I E A B Q
F L M Z H J A T W D H F U P L L A H P H
V A G R T X Q W T A P T A S A C L C P R
J T S R C M S S E N L L E W W V T E M E
T I X R W A J L E S E R R D E T H R L L
A V X L P S G S B H E N D Q N O D H S A
F E K M Y X C L B N U M Q S E J C C S X
M R C K U A P Q I R X D B F R E B E E A
X T B A P Y T T L R E F N O J D W C R T
O Z D E Q B Y W E K O A M Q G U U G P I
T J T S K M X F P S T F K F I T U Z M O
E E I G N F R T A E R T E R C I D Y O N
D W N A P E R E S T N A B Z G L N I C D
O L O A S J V Y Q U K X M Y G O K I E Z
Y U P H R E S T O R A T I V E S U B D O
Y H Z P Y D H Y R Z U N Q P Z P Q D Y X
```

BREAK	**INDULGENCE**	**RELAXATION**	**REVITALIZE**
DECOMPRESS	**LEISURE**	**RENEWAL**	**SERENITY**
DETOX	**PAMPERING**	**REST**	**SOLITUDE**
ESCAPE	**RECHARGE**	**RESTORATIVE**	**UNWIND**
HEALTH	**REFRESH**	**RETREAT**	**WELLNESS**

Puzzle #15

TAKE UP A NEW HOBBY

```
T E G V O W O V K O X J L F B U Y H Z D
Y G M Q F S O P B H Y L N S S M S A P L
P O E E X P R Z E O I Z S J I Q Y E U G
W X T N N T Y F L K G J M X K H Z X R M
X R U J R G T Y S S Q A U V S F L P S E
A X A P L I A L L E I S U R E O N E U X
T D I C A X C G B E F T G M H R T R I P
R E G A T S G H E E A U B H V F D I T L
E V Z I V I S F M M J R B B A B S M N O
C E O O A X V I H E E M N R C J R E C R
R L I Q X D S I O O N N C I V U D N R A
E O N X R I U H T N B T T W N V I T E T
A P V V F N M U P Y P B U U L G S A A I
T M E O W T M P K Q A S Y P Q D C T T O
I E J P B E Z K S I S N B A R B O I I N
O N T W H R W N I K T Z L Y A V O V N
N T B K P E R L N N I X S J J X E N E B
L B P Q O S M S L F M M L S Z U R H P V
I X O O G T J V T H E Z X L V H Y W L U
U D I V E R S I F I C A T I O N R F H N
```

ACTIVITY	DISCOVERY	EXPLORATION	PASSION
ART	DIVERSIFICATION	HOBBY	PASTIME
CRAFT	ENGAGEMENT	INTEREST	PURSUIT
CREATIVE	ENRICHMENT	LEARNING	RECREATION
DEVELOPMENT	EXPERIMENTATION	LEISURE	SKILL

Puzzle #16

WATCH A FAVORITE MOVIE OR TV SHOW

```
A B C H A R A C T E R S T R J E W I X V
Y C E S E M U Z D K P Y C G F C V D A N
T J K F E U G O L A I D X R S N X Q N N
H B O L O T S V Y U E O H N H A L J Q M
A A R X Z S U R K O B T V T T M S M Y Q
J C S U Z O E V W G T O I E Q O L D D U
O L T X B T Y I X Y Z T L R P R L Y A O
T O M I S X W A P S W E E X O N M H H S
A F R Y N A B R I L V K Y R G V Q C J A
J O M Z T G S X F I O S X A A M A R D D
K E R C H E X X S P G T C A M Y I F X V
V M H Q R W U I D T X T E L Z R T A N E
P A E I Y L O R N Z I G I T E Z R L V N
W I E S D N U E Z O I F E L X F K T N T
O S O O E D M C N K X N L N Y I V M A U
Q U R D M Y T N E M N I A T R E T N E R
R J Y V O S O Q P G R H D C F E A O Y E
C O Y J C F C O U H B C U L K D K E R T
Y Z N Y D K F L T M Z B U F L I J W G G
W E J S B I D N T S T O R Y L I N E F P
```

ACTING	DIALOGUE	FILM	SERIES
ACTION	DRAMA	GENRE	STORYLINE
ADVENTURE	ENJOYMENT	MYSTERY	TELEVISION
CHARACTERS	ENTERTAINMENT	PLOT	THRILLER
COMEDY	FAVORITE	ROMANCE	WATCH

Puzzle #17
START A DIY PROJECT OR HOME IMPROVEMENT TASK

```
C F K H M N V M N I D P O D D F A C O N
M H N U F W O S S V J W A E W W M O M K
B A Z J C P L V E P Z K A I U J Y C G S
E N C C A R P E N T R Y X T N L S O J M
X D W O O D W O R K I N G R C T E U B U
V I Z T B U S S S E E A O E R A I H P M
A W H O M L R E P A I R S F E N D N W M
G O X R O T I T P S R C B U A G E I G S
R R W O R A W W X F S O O R T E C Y D A
I K T Z S T V P N M P N X B I L O R R T
V G M P A H A Z T A L S F I V E R R E I
U G M A K E O V E R U T P S E C A J M S
R E N O V A T I O N M R R H D T T P O F
Y G K R Z L V C Q R B U F M W R I R D A
F T M B M Q T I A A I C B E S I N O E C
M V E O C Z P O B P N T R N A C G J L T
P H Q J J M C T L S G I D T L A B E I I
L A N D S C A P I N G O T Z Y L U C N O
N R E D E S I G N C P N N A B M N T G N
Y V T E T Q S Z G H U P G R A D E B J Y
```

CARPENTRY	HANDIWORK	PROJECT	REPAIRS
CONSTRUCTION	LANDSCAPING	REDESIGN	SATISFACTION
CREATIVE	MAKEOVER	REFURBISHMENT	TOOLS
DECORATING	PAINTING	REMODELING	UPGRADE
ELECTRICAL	PLUMBING	RENOVATION	WOODWORKING

Puzzle #18

HAVE A BONFIRE OR CAMPFIRE NIGHT

```
G N I Z A G R A T S Z E M H C L E X T I
D T Z M A R S H M A L L O W S M U S O G
B K M D Z U Z Q E B G P I N B Y Q R F I
N N W Q T T H R N Y K I Z E J J G O V I
S Z D F S H I B O J I Z R I L X L O G R
L V J C I F D P Y W I S Y P I C B D U P
K Y T V N Z T Y E W C A M P I N G T L K
E W J O G W F X F R O P A P I W F U P K
W W B E I L R S C G I R Q O A K E O Z S
Z Y M E N R A D T R K F V S E D R I U O
O E E F G G T S V Z W A R M T H A X W F
Y V Y S S E I R C A M P F I R E L K R D
E L P U T N U K S C F F H G Y P U I O M
P I J N Q O G S B M K L L S K I T C A O
H E A T D E R N W O O D Y A I Z D K S Z
O G G A G G G I C M C R L X M Q S V T N
X K G E L D L O E E P T E F K E B K I J
H G T O F I Z V A S N U Y S K I S J N J
M W W P K Y M K L M C Q C B L I B U G A
K Z H N Q W I L D E R N E S S B J F T H
```

BONFIRE	FIREPIT	MARSHMALLOWS	STARGAZING
CAMPFIRE	FLAMES	OUTDOORS	STORIES
CAMPING	GLOW	ROASTING	WARMTH
COZY	GUITAR	SINGING	WILDERNESS
EMBERS	HEAT	SMORES	WOOD

Puzzle #19

SPEND TIME WITH A PET

```
H B Q B Z C P I H S N O I N A P M O C A
A K A N J I A T S H A P P I N E S S R F
G D V X O A B O Y G F Y F J L E C Y B F
T T Z N D H M Y F G G E S C X J C R G E
Y R R K S L C S F I I B Y A U Y F Q L C
D T A R H Z Y U Q E A B E B G Y Q B F T
B S Z I B A R A M C R O X O M E Z U K I
B N Z Q N F E E D I N G M N E J E A L O
M U Y O P I B E G A R L O D L B H O G N
Q G O Y G A N W G Y Q G C I G P V I N Z
R G K S N B N G O N T I U N X E V W I G
J L Z P I C W J S R I Q N G X U F Z K W
Z E V L L B T I E Z S M P R W L Z T L T
T S W A D B N A P A M E O G C X G S A E
Q K E Y D P T F Z X T F I O C M W J W D
G D N T U S L M R Y C D V D R A X B F F
T H B I C B N I C I S U M X P G N Q S O
T R F M J Z Q I D L E Z E J L L O V B U
K L Q E H J U D N Q E N Q J V D S Y C Q
I Q T J D V D L O Y A L D H Q Z X D C A
```

AFFECTION	FRIEND	LOVE	SNUGGLES
BONDING	FUR	LOYAL	TOYS
COMPANIONSHIP	GROOMING	PAWS	TRAINING
CUDDLING	HAPPINESS	PET	TREATS
FEEDING	JOY	PLAYTIME	WALKING

Puzzle #20

PLAN AND ORGANIZE FAMILY OUTINGS

```
T N P D U Z O S S S H V J V T F M H Y Z
D I O M N O I S R U C X E J C R C F B R
C L S Z N O I T A E R C E R V O R O B B
C I A E D W M U J V I C S J M V N F N U
S B Z N H F D L S Q P R M V T D I O M B
C Z T H N C Q P A R K S J J I T E N L W
H O J Z W A A X V F Y Y L N Y I Y S I J
E T Y H E C Y E H N K R G H J U W E O N
D W C J F I A F B K E B A P N N D I E O
U A Y F P N Y L I M A F X R A F R T R I
L D T W B C M E D B Z G D O E M R I D T
E V S E L I F L R R J W N T X N S V E A
J E G T A P M P A U Y K U M S C I I P N
G N O L R M K N O M T F O U N Z J T C I
L T U F E A W P L Z L A F S K U N C I T
R U T I I V V O E Z P A N E M J F A X S
T R I D Y P U E R G Y U K U I B R T H E
X E N N D X W J L K S J X M E Q C R U D
K M G G N I E E S T H G I S M M X T K G
T L Z U I Q E N O I T A R O L P X E S A
```

ACTIVITIES   EXCURSION   MUSEUMS   RECREATION

ADVENTURE   EXPLORATION   NATURE   SCHEDULE

BEACHES   FAMILY   OUTING   SIGHTSEEING

BONDING   FUN   PARKS   TEAMWORK

DESTINATION   ITINERARY   PICNIC   TRAVEL

Puzzle #21

WAKE UP EARLY

```
S K Q A M Q B C R C H N U M A N S N E X
R C J D W D T G F M E M L W C Q G K N J
B B D E H S E R F E R G O Y S U Z E A Y
A M I S D E F N J F M U D T M I Q J B B
N A I T S A F K A E R B A R Y E R O C P
O S K G G Y G U V J M R A H L T S V P Z
I A X I S N A J U R T L U U P U U G G N
T U P P K A E R B Y A D M U C D N D B R
A R P R H S G C E R D E X L H E R D H V
T I M N E M Y S G N N E S B M Q I V N F
I S I I N P L L S L I L Z I H L S B X L
D E O T L G A U R M T T Y I C H E Z T A
E J H X T U N R O A M Y U C G R K T Y N
M C D W M L F R A W E I T O I R E M R Z
R K S X I B N E K T M Q C I R K E X C L
K L O G O I P H C J I H F E M Z V N E K
V V H K N M W C A A I O Q L Q E Y P E R
R T Z G V C W K T B E V N K F K S M N G
Z O I N S U F K I D I P I V C K Z K M I
A E S J M Q Y T I V I T C U D O R P F W
```

ALARM	**EXERCISE**	**PREPARATION**	**ROUTINE**
BREAKFAST	**HABIT**	**PRODUCTIVITY**	**START**
DAYBREAK	**MEDITATION**	**QUIETUDE**	**SUNLIGHT**
EARLY	**MORNING**	**REFRESHED**	**SUNRISE**
ENERGIZED	**PEACEFUL**	**RISE**	**TIME**

PLAN DATE NIGHTS WITH SPOUSE OR PARTNER

```
P S X N O I T A S R E V N O C Q A D A O
I R E R U T N E V D A D E Z X R W Q Z C
H E T W F Q B M F P K V H L R Q G G B O
S L U Q U L Q Z M A O Q P A N H Z M G W
N A A P Z P E D Z L E C G T A R T T J C
O X M W B C J X N N M P I H F O Y R K U
I A V R Z L A U G H T E R N J M S E I L
T T Y A Y I W S S H S A N M C M D S W S
A I U E V I M U W G Y Z O E L I F U E P
L O W Y G Y R R Q C Z Y B M T P P O N E
E N I I W P G Z A H I B K O A T D P O T
R V H L R A N M A E T M C R A W A S I H
Q S B I N M I M S I O A T I K X N V T E
E Y S U O T D F I J H N L E K S C L C A
D E G V N D N L E N E R B S L O I T E T
A A I I F U O U A R E A C G I D N Y N R
T E L C W D B B C N K J F P B T G N N E
E L M S M G J I N F T A R R G N E I O B
C U L N T X Q I V X C J I J G D J N C V
W O R V X B D C C H S R O M A N C E C D
```

ADVENTURE	DATE	MEMORIES	RELAXATION
BONDING	DINNER	MOVIE	ROMANCE
CONNECTION	INTIMACY	PARTNER	SPOUSE
CONVERSATION	LAUGHTER	PICNIC	SURPRISE
DANCING	LOVE	RELATIONSHIP	THEATRE

Puzzle #23

TAKE A DAY TRIP TO THE BEACH OR LAKESIDE

```
N W E E B S I R F Q W X G L H U I B L R
B F I X G X U N S T L V C Y S V I P T F
E W B W J M A S B R Y S M B E E R O H T
T W A T Y O H O D U E L E R V Z N F Y V
L A N T Y P A K B N T L L W A M A A C M
N H C D E T P C O U E C O X W M Q M F M
K W K D I R A A D W J I E O U Q Z I H D
E Y S N W N Q T S L N R R Q C T G L I V
B A G X N V F O G F E T Q F A T E Y Z V
G R F U S G P C M H E Y E Q S K I J F E
O E H O L J N Y G S U N S L E W O T P N
H L N O J K W I G J D N A S G A M L Q I
M A A H W X J N F L L A B Y E L L O V L
F X G X Z T I Z B R P I C N I C E V Y E
T A S G V H S E S V U Q R S H T M N W R
W T F R S Q A Q N F I S J V F Q F D C O
H I I I D C I H D U D S U H K L I Q G H
W O F P H E Y I L U E D I S E K A L T S
Q N Y D F T Z K P D S W I M L N V Z Z C
I G N I D R A O B E L D D A P V X C F S
```

BEACH	FRIENDS	RELAXATION	SWIM
BOATING	FRISBEE	SAND	TOWELS
COOLERS	LAKESIDE	SHORELINE	VOLLEYBALL
FAMILY	PADDLEBOARDING	SUN	WATER
FISHING	PICNIC	SURFING	WAVES

Puzzle #24

GET A MANICURE OR PEDICURE

```
I B V S M I V D R C R Y U E K H R B J E
X B W D M Q N F E D N N L Y I N M H N V
E Q X Z A T O O R U I U L P W U Q F K N
C B C M C X L T Y E I M E T J O Z R A I
J K L G L V A K O I N D P W A W Q I B S
T O T K U S S C K O I C U O F F C E K Z
N G M J A F X H H C F L H R L I L T E M
E D N D N X J P U E V C A U N I K R H R
M O J I D H C R E L S M G H R S S A A P
T Z K S R A E W U I C I C E R A N H C U
A K L P P E O Z M F L E V O J D Z C K V
E H W Y V A P J K O T O F J H G R F H G
R N K Z S U C M D D M E R U C I N A M G
T A A V C A R E A E I J F F T O O F C N
X A X I V I P L R P R E A A Y B K M C I
V G J U L V A W Z T J F E D N C Q Z B F
I T Z I N S U B S R N E J M S T P K C F
O T F W L R T R B A C U T I C L E S B U
B L Y Q G N I Y R D K V S B I V Z P J B
Q C N O I T A X A L E R U K R Q O P W H
```

ART	FILE	NAILS	REMOVER
BUFFING	FOOT	PAMPERING	SALON
CARE	FRENCH	PEDICURE	SPA
CUTICLES	HAND	POLISH	TECHNICIAN
DRYING	MANICURE	RELAXATION	TREATMENT

Puzzle #25
PRACTICE MINDFUL EATING AND SAVOR EACH BITE

```
M O G C O J U H X L W P J O S W S K H B
H U N G R G L C H Q Y Z H N E L G E T J
S F I M H U T E X T U R E Z N C A N N S
C Q R Q K S Q G K G E C R U F L K M E P
O K O G A L P O B S G A T J T T C S M V
N S V A W U U X C M H R Y H I E N C H T
S S A W O F K U D K I G I T U E F X S M
C E S A A F Q Z B T Q I A P S L T W I U
I N E R D B M W I N P S J H B X W H R A
O L D E U J E O Z X T Y W D Q M P W U P
U L U N J H U T N E M Y O J N E W L O P
S U T E C S L X A A V P O R T I O N N R
N F I S R W X L U O R W X B Y B B R M E
E G T S T L W K P B W O L S K A Y V L C
S M A M I N D F U L O J B W W E W R Y I
S I R Y V V T V B C J B A L A N C E A
S I G L K Y B E Y W X C C V Z M Y F F T
I D N E V V Q I G B W F L A V O R S I I
S A T I S F A C T I O N W U W B C D K O
W Z X Z S P B A Y O W J D R X S J F H N
```

APPRECIATION	**ENJOYMENT**	**MINDFUL**	**SAVORING**
AWARENESS	**FLAVORS**	**NOURISHMENT**	**SENSES**
BALANCE	**FULLNESS**	**NUTRITIOUS**	**SLOW**
CHEW	**GRATITUDE**	**PORTION**	**TASTE**
CONSCIOUSNESS	**HEALTH**	**SATISFACTION**	**TEXTURE**

Puzzle #26
HAVE A DIGITAL PHOTO ALBUM AND REVISIT YOUR FAVORITE MEMORIES

```
C E W M F Q Z R M J Q X D P H U O L O Y
J N E K E V T H J Y T R E A S U R E D O
Z Z F K E R Q Y W I H F X Z M U X S T T
U Q J W A T Y S W E C P A I J F L W V O
B V L V A S I H T T R T A M H U H L N H
A A E C K L P R G P V P U R I E R L Q P
D L D B B K B E O E R W H P G L K P D L
V G S R E G R U E V W D I Y E O Y W A C
E N N E U S S A M K A F E O O P T G D Z
N I A C D I G I T A L F G J A I Q O R D
T C P O T L A H W D M E K E H C K V H X
U S S L S E N O T S E L I M H T A S S P
R I H L E Y N C B I P I B M D U M D W N
E N O E F Q J J V I W M F J B R N Y G F
S I T C R K S I D N H S U E G E Y H H Y
Z M S T U A L P Q Y K S M J I S N M J J
D E I I Q I K W Z Q S C R R T Q Z U H N
O R N O S T A L G I A P F N L I C U P I
T K Q N S E I R O M E M P S R E D V W B
B L D P F U J F A F K A O A W Z O Q J I
```

ADVENTURES	FRIENDS	NOSTALGIA	REMINISCING
ALBUM	JOY	PHOTO	SMILE
DIGITAL	KEEPSAKE	PHOTOGRAPHY	SNAPSHOTS
FAMILY	MEMORIES	PICTURES	TRAVEL
FAVORITE	MILESTONES	RECOLLECTION	TREASURED

Puzzle #27

VOLUNTEER FOR A CAUSE YOU CARE ABOUT

```
Q C F J S P X F T N E M E G A G N E S R
V M P I R M E G E A F K L W V Z N Q N R
C H D N J I N P I T W T A H N F O G A E
Z C U S K I V E X O T R J K O G I V Z U
V A H P V R D B X L E B O M I N T G W Q
I E O I C J D J J N G S Q M T I A Y P J
X R G R S O M W E H V U R A U P C T X K
J T L E I T M S H S G P E D B L I I T P
M U N Q B V S P F N M P E Z I E D N N H
T O Z V N I B I A Z D O T Y R H E U E I
E Z B X O S M T O S K R N D T D D M M L
R K H N N T S P T Y S T U J N N T M R A
R J M A P J P K A S M I L R O K M O E N
E C I V R E S V B C Y P O Z C A C C W T
S W L F O G L V Y T T Q V N P A X P O H
Q E F M F Z C Z I Q F V C J U I S K P R
I R A N I E U R V W N E X S Z M M G M O
S J K H T L A W E L U T E C T M T E E P
W E O Q S H Y C A C O V D A R S T R R Y
B L S L C S Z P S K B V R V I M Y U B H
```

ADVOCACY	COMPASSION	GIVING	OUTREACH
AWARENESS	CONTRIBUTION	HELPING	PHILANTHROPY
CAUSE	DEDICATION	IMPACT	SERVICE
CHARITY	EMPOWERMENT	INSPIRE	SUPPORT
COMMUNITY	ENGAGEMENT	NONPROFIT	VOLUNTEER

Puzzle #28
GO FOR A LEISURELY BIKE RIDE IN YOUR NEIGHBORHOOD

```
R E P E M A M G H Q H Q V S I H N A H C
O G N S X V D E F C W R G Y Z E T S E C
S O B O B P S V J S V N F H Z A D Y T H
O G O T I I L M E S B C W D Y L A S O S
S S T G C T X O F N M M Z W X T Q T O C
D V R R A C A E R U T A N K G H D Z I W
U E E O L I M E H A C U D X M R M N A E
W X T E O M E A R I T A R C R L E H O S
E R I D E D T L J C F I Y E I C H Y E F
M M S S K B T Z F W E C O U S G U R D M
C D T A H U G U F D L R Q N O G E I D U
S B R J G Z N O O I Z N K D K N V V W Q
V M E X U X J L N H A Y P B E E G K X J
Z E E Z N F P G Z R R O D S Z P N R T B
D I T E K I B G T G A J L E G V K V D Z
P Y S W D E E R R X R A E X F R O M T Q
X L D P C R Y A T M J R Q Q A V I R S D
R P E D A L I N G V B N B P J A O X X T
R F Z L P Y D I L E I S U R E L Y E X M
H N E I G H B O R H O O D O E R R I L J
```

ADVENTURE   EXPLORATION   NEIGHBORHOOD   RIDE

BIKE   HEALTH   OUTDOORS   SCENIC

BREEZE   JOY   PARK   SERENE

CYCLING   LEISURELY   PEDALING   STREETS

EXERCISE   NATURE   RECREATION   TRANQUIL

Puzzle #29

WRITE A POEM OR SHORT STORY

```
A D C J R R Z B E C T Z H K I M Y L Q P
E S I O M K B F S R E T C A R A H C S Y
M J N F S P N G H X V T T K Y L C T B Y
O Y S H I P Z A S F L O W H J J B R I G
T M P A L M P F M L L Q R Y B K S O P F
I V I T O W Q J M B S T O R Y M P K C E
O S R E B B I Y T I V I T A E R C I F M
N R A X M D E S C R I P T I V E I X V Y
S B T P Y M M L V Y R E G A M I Q O I H
C Q I R S E E X F L W R I T I N G F M R
S Z O E R M C O I Z G H S P Q K P A A M
Z C N S I E N V P U D N T O L P L L G W
T V S S M H V F K Z X D M W O R D S I G
D H G E P T B D L L N B E M R D K A N K
Y S Z M S H V C Z O R Q T S S T W O A Y
K O T N T R P C V H O C A Y L A K X T J
F N P C U B E M Q D W C P L T N Y L I O
B A I A V D I V P C J Z H G L X L I O H
L C G N A R R A T I V E O W X V F F N N
M D Q I S O K Y J F A V R S K V Q S F I
```

CHARACTERS	FLOW	NARRATIVE	SYMBOLISM
CREATIVITY	IMAGERY	PLOT	THEME
DESCRIPTIVE	IMAGINATION	POEM	VERSES
EMOTIONS	INSPIRATION	RHYME	WORDS
EXPRESS	METAPHOR	STORY	WRITING

Puzzle #30
PRACTICE SELF-MASSAGE OR USE A FOAM ROLLER

```
L E C Q K A Z S G G N I H C T E R T S C
A Z P R E S S U R E V G N I L L O R W Q
H T C G U K A T X Y R N A M A O F Q R M
L L R K X M M V O A S S E N E R O S M I
P V S S E N L L E W O C V R L K E L Q K
J J E F K Y L K H I U U K A Y O G A Y X
U G L R Y T I L I B I X E L F N A F R S
L R B U C S T O N K R O L L E R S W E F
A L T E N S I O N O U T F D E F S O V L
I C S X J R N M H E O R E R E S A Q O O
C N V W J G Y C X M P I O H E M M W C U
S G R E L A X A T I O N K A I L B C E O
A L P G W G O J R V I N F N T X I X R Z
F I L R G X U N S W B O D Y S V R E E I
O Y F E S A E L E R S E L C S U M M F P
Y I I R J C N K W U X O U B E M O D S T
M D B Z R T N X Z R A F O C P G W P I Z
R Y R S U K S E U Q I N H C E T Z B R N
E J Z T C E H X M S C M O B I L I T Y H
Z U B D E X D S C O P T R J U N L Q A O
```

BODY	MOBILITY	RELAXATION	SORENESS
FLEXIBILITY	MUSCLES	RELEASE	STRETCHING
FOAM	MYOFASCIAL	RELIEF	TECHNIQUES
KNOTS	PRESSURE	ROLLER	TENSION
MASSAGE	RECOVERY	ROLLING	WELLNESS

Puzzle #31
DO A RANDOM ACT OF KINDNESS FOR SOMEONE ELSE

```
U S S Q R D T N E M E G A R U O C N E G
S S U O S S E N S S E L F L E S H E N Q
E C A P A I E I S D Z G H L G C N D S Z
J Z V Q P G E N E R O S I T Y O K S S K
S F A V T O G J D A M M E C I T E Z E C
M T D J L W R U D L S M G S H N G Z N E
E J A T N B Z T T T P G S R D A C S L K
P D F I O F L H K A N A V N F D R Z U F
O S U O H G Z K T I P E I G N D Q I F P
S W M T A I N H V M S K U B G G A Z T D
I Y B C I V Y I O I M S I U R T L A H Y
T M E H T T G C R D L Z O R B M Z C G D
I X N S Y E A P S E R V I C E A A T U Q
V X P C Q B R R R Z E D W I O U Z X O A
I I Y W W U U W G U E T G S Z L K P H D
T H T V S P W P H B N M N E H K O M T G
Y N P N V K L N B J M P I U G X K V C S
F H K X X G A E A L U F R Z L L O W E H
M D P C N Z I Z H Y B T A D M O W A A O
I L N X Z C V B V G A B C C O Z V V Z S
```

ALTRUISM	ENCOURAGEMENT	KINDNESS	SMILE
CARING	GENEROSITY	LOVE	SUPPORT
CHARITY	GIVING	POSITIVITY	SURPRISE
COMPASSION	GRATITUDE	SELFLESSNESS	THOUGHTFULNESS
EMPATHY	HELP	SERVICE	VOLUNTEERING

Puzzle #32

CREATE A SELF-CARE ROUTINE AND STICK TO IT

```
Z K E B L Z Z C K S E D U T I T A R G G
K V Z G M L O H L C K P N M U K S B E F
E M N D Z M V R G U A O U I R K Q O T Z
C H O C J A R E L M I R I N D E G U J J
I T I U C Y C C Q S S T E D B N U N A O
M M T A N N O H S X N O F F T I O D C V
E R A N A B H A G T X X R U J T Y A N J
D K X L P Y P H B Q S O S L Y U C R D V
I R A J Z M R G K W I E Y N L O T I D G
T B L K O I N P M V U N R E E R C E H N
A Q E C L D N Q C P K U P S Z N H S H I
T K R Q P X A I R R R B C S W N G E U L
I J J D D E C I T C A R P V A X A A F A
O P W A M S O D L R D V X S O L P Q Q N
N U B R V R D X K Y B Z Y C T M W M K R
M P N O I T C E N N O C N H C P R J P U
U C E T Z B V N O U R I S H M E N T H O
O S I M E E X E R C I S E M D J T H P J
K Z Y C N E T S I S N O C A J G Q T I W
E E S G S A C C O U N T A B I L I T Y C
```

ACCOUNTABILITY	CONNECTION	HEALTH	PRACTICE
BALANCE	CONSISTENCY	JOURNALING	PRIORITIZE
BOUNDARIES	DAILY	MEDITATION	RELAXATION
CARE	EXERCISE	MINDFULNESS	REST
COMPASSION	GRATITUDE	NOURISHMENT	ROUTINE

Puzzle #33

PLAY WITH THE KIDS

```
Y E M X G B F F P A R E N T I N G W A A
Z W W R I S S I E R U T N E V D A M S D
L C V M I G P W G U Q T Z W Y F J F H
S H K A R T O C J J N U R Y E T G U S H
S I O O O L R B Y A W S E T B I G G D Q
T L N J D U T Y S J E X P Q R V U N F I
Z D Y X E N S L J I P C S G H I A I U T
Z R R V M K G I T L K E R F M T P L B D
R E L Z R U K I O L S S D I K A Y L O X
J N C K K D V R T A V E Z Z B E O E N O
T T O Y S I A Y P U P S M W W R J T D Z
I S M O T T W U M G U Q Y A N C Z Y I X
Z E F C I Q Z Q S H B C Z I G W T R N R
D W A O K Z Y M N T W O W H E A R O G Q
Z H N S L U A X G E S T F A R C S T S M
Z H Z E C S N G X R G H Z H U M C S W K
X G S G U U T E I P H Y A L P Q O D I Y
M Z F L F J H K K A H R U A W L V D E T
H P E N O I T A N I G A M I V U D L F X
H Q Q K Q Z W R N S F N Y T I I S Z L L
```

ACTIVITIES	CRAFTS	IMAGINATION	PLAY
ADVENTURE	CREATIVITY	JOY	PUZZLES
ART	EXPLORATION	KIDS	SPORTS
BONDING	FUN	LAUGHTER	STORYTELLING
CHILDREN	GAMES	PARENTING	TOYS

Puzzle #34

PRACTICE A MUSICAL INSTRUMENT

```
Z W H W J K R X P C N Q E C R D Z C S V
Y X A Y C S G S K Q M N E E D V T P C N
J M W M R U Z S H J S S P E S R Y G I C
D O Q B P K I M R E E E D O Z T S N M Z
J Z X M O P E U M T R I W U L S S Y A B
L K V Z D L K B O T C A R S E T G J N L
B Q U J O C L N O A Y E V R R Q L L Y C
M K G D H E N I T R U L G U P D J L D N
W D Y O P Q R I E Q Y O M E R H S G A I
V B R B E E O T I F R E P P A V A O H R
S D M T B N S N R P N U G Z C F Q D L Q
S P E H C A H B H T N N K Q T A G B Q O
J C C P M C O U Y W M W J K I Q V W S X
G I K I E P A R T F S E L A C S K L Z A
G T X T S N C P H E E D W S E D A Y U V
N E D V L U R I M T V R V L C A E D T H
I M B K W C M X P P G N I N R A E L A A
T P I V L G T X W P E R F O R M A N C E
G O K M C N O I T A T E R P R E T N I A
P S S E R V H X M T Q H C V R I Y O F R
```

CHORDS	INTERPRETATION	NOTES	RHYTHM
DEDICATION	LEARNING	PERFORMANCE	SCALES
DYNAMICS	MASTERY	PRACTICE	SOLO
ENSEMBLE	MELODY	PROGRESS	TECHNIQUE
INSTRUMENT	MUSIC	REPERTOIRE	TEMPO

Puzzle #35

GO TO A SPA FOR A RELAXING TREATMENT

```
T Y M M E D I T A T I O N R Y A N S T V
V W E L L N E S S R M G N C G P A R M E
N F P T Q I X V X P N Z W Y X L E G V N
O L A V R B V Q U I K E P Y A A N R V O
I X S C M X U T R L R A P Z T J E M F I
T H C P I R O E R U R O L M D P J X P T
A Q R L W A P E C E Q F E V X L K U H A
X J U E R M L I H B T N E J I O V A H N
A A B D A V N T B A T S E R E N I T Y E
L B P P U A A D V K F M M G U L Z X M V
E U W S M M A E T S B J B E Z C Y D J U
R U V I O Y T U A E B R G F A G I A O J
U L P R Y L M P U N O S A U N A U D H E
O D A X I J S I P H Z X O E N F V I E R
Y T I L I U Q N A R T Y V C G O J D E P
B C B Y V F Y D L K H D F S V A D W U S
G L A S A Q R E J W A O J D A L S H K O
G G R U P D E T O K D B W B V I K S N K
L D D J N J A O T T X U V L G C B A A B
A E N D U B J X H L M I E C U P S F A M
```

AROMATHERAPY	MANICURE	REJUVENATION	SPA
BEAUTY	MASSAGE	RELAXATION	STEAM
BODY	MEDITATION	SAUNA	TRANQUILITY
DETOX	PAMPERING	SCRUB	TREATMENT
FACIAL	PEDICURE	SERENITY	WELLNESS

Puzzle #36

TAKE A SCENIC TRAIN OR BOAT RIDE

```
T R H C B U G Z S K C A R T U B G G A V
I S X N K P D M Y R P E B X L D U R G N
P N N J B F W N B U R R L S N N I A A O
N I C R U I S I N G I A Y T S V D F N B
N A U A I J Q U Q D K A K A E S Y X O B
T T E U E R J V G E W F I R Y L P W I C
M N E F R C O E S R D L S P T A Q E T O
F U N O U T S M E Y I J E D I R R O A D
W O E H T C K T G N S N S P Z V B J R L
O M R Y A C A Q G S K N D C A N C S O T
O R E B N W H L Y S C V R Q E B O K L R
C H S T A O B E A J W K V Q V N Z L P A
O H J V I Q N F R N D E G J A E I T X I
P P Y V Y R D H W U D P I D M T W C E N
T G I W U Y P X U H T S A V Q L U E Z M
T Y I O C H L F U L L N C T L I P K Y Z
Y H J P Z G B A L S O L E A F Z U K S M
P C O A S T L I N E S V K V P N D C K X
B D K H B K D P R K K R R Q D E O H X X
G N G A H S K T H F V B P Z K A S Q V W
```

ADVENTURE   EXPLORATION   NATURE   SERENE

BOAT   JOURNEY   RIDE   TRACKS

BRIDGES   LAKES   RIVERS   TRAIN

COASTLINE   LANDSCAPES   SAILING   VIEWS

CRUISING   MOUNTAINS   SCENIC   WATERWAYS

DO A DIGITAL DECLUTTER AND ORGANIZE YOUR FILES AND FOLDERS

```
R P G C A T E G O R I Z E T B C E Z I W
N C Z O R G A N I Z E H J S M D V W I E
C H M U H L D X Y D J Q F O P C I W G F
D D N J B L L N N U K I K R B U H D L F
Z W R U Z C E P O Z E K Z T F S C D E I
Q N F R A K Y V T L N D M Y D G R F Y C
S Z V Z V C R S A L I E C H S E A N T I
W N T S I P Y B N A L C E T X H Q Y I E
F Q U Y U J E R T T M L E E Z K D P V N
V S W S R L M I K I A U N E F L Q X I C
U T R T A Y S E L G E T D N Y K X C T Y
I O E E Y A I Q Q I R T S E E H D F C Z
F R D M A O L Y S D T E P R L Y H X U B
W A R A R Y A R R E S R F U E E N S D X
N G O T R D M A F C L U E Z K D T C O Q
T E U I A L I C Q T Y I F O J C L E R N
H Y B Z N G N G E K Q U F U D E A O P A
Y C O E G Z I F J Q C J I A A R H B F G
C F S J E F M D N H Q V P N S H G P A G
P N B U D K B H P I C B N P R T G Z E U
```

ARCHIVE	**DECLUTTER**	**FOLDERS**	**PRODUCTIVITY**
ARRANGE	**DELETE**	**LABEL**	**SORT**
BACKUP	**DIGITAL**	**MINIMALISM**	**STORAGE**
CATEGORIZE	**EFFICIENCY**	**ORDER**	**STREAMLINE**
CLEAN	**FILES**	**ORGANIZE**	**SYSTEMATIZE**

Puzzle #38

GO STARGAZING

```
C I V O M S G E U J Z I F V O B H V P L
H I T I J U C A H F B G A I T X P R Z E
K I H Y R I P Z L S C F Y H W A V G J S
L N X T I V C O U I N I G N S X Q U C G
U R U I E F O X N T M I C A C R E P O M
N S D N X G N B A S N H U D J H I H I S
I O K E P L S H R Y M O N O R T S A M T
V M L R L S T D N E B U L A E N T C S E
E S M E O K E Y X T G Q G S Y P O S Y N
R O I S R Y L G J E Y Z R A M B W T H A
S C D P A S L R L L O S T A R S U A N L
E W N S T D A O Q E G V J C B A K R M P
W O I A I G T E R S W U P M E G K G S L
T N G Y O N I T K C V Z Q B A K K A M E
G D H Z N A O E T O X G V L T P V Z T U
U E T W K C N M J P D X A I E O N I L T
C R S V Z Z S O Y E V X M W D H T N O P
G N I V R E S B O L I B E Y L W O G X G
U J K I Z H U O R E F G L G Q Y D D F D
S Q F E R S F Y S O O G V S R J S H I O
```

ASTRONOMY	GALAXIES	NIGHT	STARGAZING
BEAUTY	LUNAR	OBSERVING	STARS
CONSTELLATIONS	METEOR	PLANETS	TELESCOPE
COSMOS	MIDNIGHT	SERENITY	UNIVERSE
EXPLORATION	NEBULAE	SKY	WONDER

Puzzle #39

WRITE A LETTER TO YOUR FUTURE SELF

```
A P E R S P E C T I V E L T R N N C V S
Q D Y A N Z J T K G C Z L G N O D L I O
I X F G D K V V Y I U S E I R O M E M P E
P E M I T H N A V C Y S L C N R H J I G
Q Y W T N E M E G A R U O C N E O C D G
L B N O I T A V I T O M O I I U O M L E
L C O B L E T T E R U K S M R N C G W S
A G I N S A D V I C E K M N F A P X V B
S R T O E Q I B V V K G E L V D U G T O
P A A I L S U H U O W Y U S S W Z Y C L
I T R T F M R L A S L O I E S L A O G M
R I I C V A K S V B A M C K A C T U L O
A T P E G E R Q T T N R Y O M F Y E A D
T U S L X R F M N F O J G J H F P P L S
I D N F J D H R K U S B J R I A X O P I
O E I E L H L J E T R W Z G O K V H O W
N U Y R H X V W Z U E J C S Y M S A N V
S Z C G R O W T H R P Y P P S R G K B G
J U S N K G K U C E E U Q Z U Q Z D Y L
T B F D J I Z R S O X V I M D X Z C N V
```

ADVICE	GOALS	JOURNEY	PERSPECTIVE
ASPIRATIONS	GRATITUDE	LETTER	REFLECTION
DREAMS	GROWTH	MEMORIES	SELF
ENCOURAGEMENT	HOPE	MOTIVATION	TIME
FUTURE	INSPIRATION	PERSONAL	WISDOM

Puzzle #40

TRY A NEW TYPE OF CUISINE OR RESTAURANT

```
A M V E N O I S U F J X Y G C E P R S K
L V Y E N I S I U C Q Y K F V U P X P G
H E T T T Q D I V S T K O C C J O P P A
O S T L T E J F U L A O B I O G T V W S
X R T A J I E H A G D S T J O X B D O T
B O G K L Z N I N V P O S W Q C P J N R
Y V O E L A C G P V X W C M V U F W O O
I A K Z T E P X R E E Z X S O L P G I N
M L N P P T T A X E D F Z G X I N W T O
P F Z S D I N I N G D E R V W N U X A M
N S R E N H S E O E J I V R Y A P A R Y
X R R Y N M B U X T T C E S O R L I O E
A D V E N T U R E E D S I N O Y B E L T
P G Z M R C S Y B R E E A T T K O K P H
G Q G W C L H G C K N K J T N S F A X N
R E S T A U R A N T B K B J T E R T X Q E I
B I N T E R N A T I O N A L H R H H V C
U N E M H B R H E T E I Q C G E D T S Y
M T S Y V U T N F J G L S Y T L A D U U
Q Y K I E V V Z B Q G M K F A P R N T A
```

ADVENTURE	DINING	FOOD	MENU
AUTHENTIC	ETHNIC	FUSION	PALATE
CHEF	EXOTIC	GASTRONOMY	RESTAURANT
CUISINE	EXPLORATION	INGREDIENTS	SPECIALTY
CULINARY	FLAVORS	INTERNATIONAL	TASTE

Puzzle #41

TAKE A MINI-VACATION OR STAYCATION

```
B B M B W T A D U E H K G O P Y A T B H
G J Y A L H B D R Q Y A M W L W A F M P
L A C O L D S N E V B I V J N E X V N X
T N P T P E V A C A T I O N R E D N A E
N O H A L X H E U T L S N T G I I O A R
Z I X X Q P E K S D J O E N E X S I I U
Y T F Q B L X E K E Q R C Z T S C T H T
Q A P R B O R X Q S W Y I S A Q O A E N
M C N J S R D E U T H O U C W O V X W E
T Y I J E E W W P R O G L G A A E A Z V
N A U K Y J C X L E B F E O Y P R L E D
E T E R U S I E L S H F D S Q Q Y E G A
M S W N Y A T S W S U O C K C B W R R O
Y N G S F N F D W N J M C I P A A G A C
O U N W I N D X N P Q U G E B Q P E H Q
J J Y L W B B C O G H N S O X A I E C P
N H N Y G R U A C T I V I T I E S Z E K
E C K H T E X V E J Q E O D Y N C L R W
M C X L M A I A D C N T S R Z O Z A L E
B X M E S K Z O V F N Z K Y X P N J W G
```

ACTIVITIES	ENJOYMENT	LEISURE	RETREAT
ADVENTURE	ESCAPE	LOCAL	STAY
BREAK	EXPLORE	RECHARGE	STAYCATION
DESTRESS	FUN	RELAXATION	UNWIND
DISCOVERY	GETAWAY	REST	VACATION

Puzzle #42

VISIT A MUSEUM OR ART GALLERY

```
J I N S T A L L A T I O N S K B W V T L
K E X H I B I T S Z B F X R O A S U Z F
H Y H H W H R I K T F W O B S T O H D Y
N I G J Q W Z I I C R W G E N P D H I Q
S N C R E A T I V I T Y C Y T C W V K C
C S Y C U R A T O R S E G B U C X Q S D
U P P H K Q O U A T I H C Y F G E D U S
L I F G A B Z Q C P G A L L E R Y K N G
P R L P A A M A R M L D R Q J X Z O E L
T A A L G R F E Y D I G A S M A I M D H
U T P A J I T J Z Q R S I P R T Y X U I
R I O U T S G I K C R P L K C M L K C S
E O K R A T S I S U I J R E U S F Q A T
S N A M G F R Q O T Z L L E T W P A T O
O A V I G N M T V U S L S Y R H F R I R
J L B O O C P B F Q O U C X K B W X O Y
P C U L T U R E S C M U H W V H L I N L
Z Y L A E S T H E T I C S T S K Z A O O
L P A I N T I N G S X T N W T Q L M A X
S G B I N T E R P R E T A T I O N Q C S
```

AESTHETICS	**CREATIVITY**	**GALLERY**	**MASTERPIECES**
ARTIFACTS	**CULTURE**	**HISTORY**	**MUSEUM**
ARTISTS	**CURATOR**	**INSPIRATION**	**PAINTINGS**
ARTWORK	**EDUCATION**	**INSTALLATIONS**	**SCULPTURES**
COLLECTIONS	**EXHIBITS**	**INTERPRETATION**	**TOURS**

Puzzle #43

PRACTICE POSITIVE BODY AFFIRMATIONS

```
W C L Q I U A J A X P Y W Q V I E I G Z
V W H V N F V Y G E I A D U E E C R D S
F I I T T G Z V C W R P C O D B N U Y N
D G J O G W Q N X E L E R U B A A A T O
T Z B B V N E R S O M Y T X P L I C I I
U S O S Z D E I M B U I E P N M D C V T
P R X F I S L R R M T M R B P U A E I A
Z M I F Z I C A T A V E E Y E E R P T M
U T N N E K C X R S C A H D H E A T I R
L O N N D E O G Q I U E B M O C B A S I
C E C E C I P C A T A X F H C A E N O F
P E H J M F V T Y L K E C H H R L C P F
C Q N E X R I I T W C T G H H G S E J A
C V Q E Q O E H D N Q Q F S J O Y E O F
P D R K N N H W A U B W H S E G I N Y V
O A M L M O H L O W A M V P K X G J J X
C N Y O L I A A C P E L N G R C I V J R
P X M V N B P G V C M E I G D D N W B U
N Z A E I N L Y O M R E N T A M G H X L
A T A T W Q C B U E P S T S Y S F Y L J
```

ACCEPTANCE	**BODY**	**GRACE**	**LOVE**
AFFIRMATIONS	**CARE**	**GRATITUDE**	**POSITIVITY**
APPRECIATION	**CONFIDENCE**	**HEALTH**	**RADIANCE**
BALANCE	**EMBRACE**	**INDIVIDUALITY**	**RESILIENCE**
BEAUTY	**EMPOWERMENT**	**JOY**	**STRENGTH**

Puzzle #44

DECLUTTER YOUR LIVING SPACE

```
V R S M T Y N N D F L Z P K A S L W J J
I R H E O Y Y W I E F F I C I E N C Y D
J F J Z D O J E S R A X G M B M S F D P
J N Y I G T G U P C R Q K E E J Z J H R
Z E T L G R Z Q O W E N E T W B X U E W
S C V J U I S B S L E G H X W D Z T A T
M S E P Y O A W E A N O P Q B H T W K R
S D X X R W U P T A D E M S S U S S U D
I O B T R C S F R I U U I E L Y T L A X
L Z R U K P I R C E N M R C S R B E V B
A A O D A U A A Z A P F E T E V Y V D N
M C T C E S L I E L E D E A P Z Y E G A
I E E I D R N L I R K M M E G A R O T S
N K G K W A C F X O I L S Y M A M E V L
I Y B A G Y Y V H Z I K K W K V B O Z Q
M U A R R I A N E N Q R C H H I W L A L
R V O E F D N N E O A P X W M O V H P B
T P X K D N O R O E X V B C M C D F A C
H E E V Q T O I L E N V B W O M T H M S
T U P Y E L Z C W P G C X X F Q F N S G
```

ARRANGE	EFFICIENCY	ORGANIZE	SPACE
CLEAN	METHODICAL	PURGE	STORAGE
CLEAR	MINIMALISM	REFRESH	STREAMLINE
DECLUTTER	NEAT	SIMPLIFY	SYSTEMIZE
DISPOSE	ORDER	SORT	TIDY

Puzzle #45

PLAN AND PREPARE FOR HOLIDAYS

```
K Z B R A P H A R N K L Q I Q F C G M V
L O H D D A X E C F A M I L Y M K P Z D
W E I T I N E R A R Y C M O Y S B K F E
B R V C D J H Q P M E N U O Z R T C Q C
U E A A L A P D L G S W D W D Z O K W O
D S C A R E Y M A Y H S R M R O P V N R
G E I B S T N O N A O X L A K Y D W O A
E R N C N F G D N L Q J I P G J Q M T
T V O E O X L V I Q V H N A Y P P N O I
I A I L I S Z D N V M G A X N V I F A O
N T T E T C S M G U M V M D Z N J N Q N
G I A B I S Y A D I L O H M J Z O L G S
S O R R D E A C C O M M O D A T I O N S
T N A A A G R X P Y P J H Y H R Q I T X
P S P T R I G G H D G N I P P O H S T M
I D E I T F E N W F E S T I V I T I E S
J V R O O T O H I G A T H E R I N G E B
D V P N Z S F K X K Y D W D S P U O Z B
S W S M L W P W X Y A A N J R L G A T L
R O L S Y B R J B O L B Z O C C U T D F
```

ACCOMMODATION	**DECORATIONS**	**HOLIDAYS**	**RESERVATIONS**
BAKING	**FAMILY**	**ITINERARY**	**SHOPPING**
BUDGETING	**FESTIVITIES**	**MENU**	**TRADITIONS**
CELEBRATION	**GATHERING**	**PLANNING**	**TRAVEL**
COOKING	**GIFTS**	**PREPARATION**	**WRAPPING**

Puzzle #46

TAKE A POTTERY OR CERAMICS CLASS

```
Y X U K P T F Q B Q W Q B N V E P U X R
C H Y P J P K A F V D H Y N H O D B H Z
N P I H S N A M S T F A R C T F Y U M M
G M N F K E S H K Z O A Q T G R F O M R
O C H X D X E J A C J S E N G N I R I F
Z E T Q J J S E U R C R I A T C E K G Y
Y R R Q X U L K U U T D D M R O F W G K
Y A A V K E V L L Z L I O A E W N U L E
R M H A E Z K P I O Y J S C L J N Y M Y
E I F H L I T T M G Z A E T P P J W L H
T C W H L I A A E D O B L Z I C I O X D
T S D N N G F U T C G J V C Q C K N L T
O H K G A P T Y B D H D Q E Y C W T C Q
P T V L E S S E V K E N C O I L T C I H
S E I T G F S N P B G S I G R T J I O V
J X P X V V E B Y O L J I Q E L Z D C J
C T K O Y P Q F R M A N Z G U T D J X O
Q U O O X A W F F L Z Q D N E Q Q Q M
U R N Y T I V I T A E R C O F W S L V U
Y E D E E H X O H W S X U M H F T T V W
```

ARTISTIC	CREATIVITY	KILN	SCULPTING
CERAMICS	DESIGN	MOLDING	TECHNIQUES
CLAY	FIRING	PINCH	TEXTURE
COIL	FORM	POTTER	VESSEL
CRAFTSMANSHIP	GLAZE	POTTERY	WHEEL

Puzzle #47

WRITE A LETTER TO SOMEONE YOU APPRECIATE

```
Y G M Z P A P P R E C I A T I O N N L T
H G W R R E S P E C T O G O U A O U U B
T T E C L U K V D P O T N F W G F R E C
H N G N H S P P H J L P E T J T K D S A
A E W W U F E F F E E U O M H Z U N S N
N M H J J I Y A F W N S G G D T K F E O
K I W O H B N T S O M T U G I A S R N I
F T R Q K V R E I E J O T T E V I I D T
U N K E F A U T L S H E A S O G Y E N I
L E X S E E A P O T Y R P E H N U N I N
O S M H O R F W N R G W X H O I E D K G
G T O R I F I O V U L P N B W S O S G O
G E N M R Q I E S O R O S E K S D H Y C
H S D N C T M G V E O F G Z V E A I L E
F A J T C O J E S Z J M R O T L A P W R
W I O E T J B S U X T C O J M B T F L B
O A F I F U Q K A C K N O W L E D G E N
D F O I Q B G A K C D R E T T E L O L Y
A N A T R O P P U S K B I A H O M D B O
N Q J U Q Z D J T A M C Q A K G H F D M
```

ACKNOWLEDGE	EMOTION	HEARTFELT	RESPECT
ADMIRATION	EXPRESS	KINDNESS	SENTIMENT
AFFECTION	FRIENDSHIP	LETTER	SUPPORT
APPRECIATION	GENUINE	LOVE	THANKFUL
BLESSING	GRATITUDE	RECOGNITION	THOUGHTFUL

Puzzle #48

PREPARE AND PLAN MEALS

```
B Z N R N W T T S B K D C O Q S O X V W
K H D K E X J E L O G D B M T C B H X U
R N Y Y H T T P V N C N B I F A J J J U
S M R J C T K N I N R T Y L L B T Y E Q
M O M B T M X N Y S V E A N V B W R A T
T R Z W I D O S C Y U V C T I H Y A E Z
T K V L K S Q J C K O Q O I E B S N V G
M F Q G A P X O B R W R S A P U Z I G N
N G Q E M M O V F W I Z L K O E X L N O
G Z S Y P K N U G B S T T I G E S U I K
A C E O I Z L N O G H G T N B I Z C M O
R S O N I V I I S Y N I I G M Y Y Y A P
N B G E J P L A N I R T N H A E U G E Z
I W D A P I U N R T A I B H V Z A B T X
S H F O N T F E U N T A X K U B L L S B
H F H G E K M N I S K Z N G B C K A N O
I C F I Z M E R A I Y K A Z D N A A Y K
N P N Q I L A O N S T N E I D E R G N I
G G D S P M R G P X E Q H U R F U I N E
G S G R I L L I N G S Z I W K Q O S R I
```

BAKING	FLAVORFUL	KITCHEN	ROASTING
BOILING	GARNISHING	MARINATING	SAUTEING
CHOPPING	GRILLING	MEAL	SEASONING
COOKING	HEALTHY	NUTRITIOUS	SIMMERING
CULINARY	INGREDIENTS	RECIPES	STEAMING

Puzzle #49

CONNECT WITH FRIENDS AND FAMILY

```
L W K S L J Z D B T R M N F X K T P C S
F A B C Q R N O B I G M R G R U L Y E R
A U U L E I C O N N E C T I O N U Z C T
B N W G R L A V I Z P O X Z E G D K S K
O B O Y H F E R S T E H T R L U V U O N
I X F I K T A B G H A K L R B C R N X S
M S C F T C E T R A A C G N O T Q Z K S
D P I R I A E R P A T R I E C P R Y A E
C I H I K Y S M J W T H I N O Y P I D N
P H N E D A M R P V W E E N U V G U Y R
Y S R N R H T E E A K J F R G M U I S E
K N Q D D L Q W M V T C N N I E M X N H
U O B S S S F B D O N H T N F N T O W T
F I J Z W K L Y L G R O Y S T R G R C E
J T S V K L Y G K O O I C F F Z G K D G
V A W F J L O R N N V B E M A C N T Y O
O L N G O I G N I D N O B S R M B J N T
N E P V V G C K K U H Z K Q Z U I J E Q
Q R E J E Q M R E U N I O N K D S L K N
L N M R T U N D E R S T A N D I N G Y V
```

BONDING	CONVERSATION	LAUGHTER	SHARING
CARING	EMPATHY	LOVE	SUPPORT
CELEBRATE	FAMILY	MEMORIES	TOGETHERNESS
COMMUNICATION	FRIENDS	RELATIONSHIPS	TRUST
CONNECTION	GATHERING	REUNION	UNDERSTANDING

Puzzle #50

GO FOR A WALK IN NATURE

```
C Z V Q L T R A N Q U I L V F K G A K C
E M Q V U C L K F A O K G I H R G A V B
W X O Q H V X B F O Q U T Y I A N Q W I
B H W O O D S N I U K B T F K P E M W T
Y N M F G S Y A C R S E G D E N M Q H Y
A C O S C F Q T D H D G Y N O Y C P M E
E I I I A G P U X V B S L J Y O W I F C
Z S A V T U E R G N E E W U D H R I B X
Z N T V U A J E Q J R N E W O D E S F Z
H I Q R K L R O B I E F T W D N V T X L
Q A B W E L H O L H I E T U E S Q O G G
G T X L S E A M L L B S P R R Z B R R C
T N O J R C S W D P E K E Z U E R K W A
Y U N L E I R L Y R X S P E A C E F U L
Z O V U W X I Q O R S E N E N Q R U X X
B M Q R O W D F G Q E S J C T H K O I O
W N E F L X K G V S Y N Y S L I A R T Q
W P X T F L O Q M H P I E D T E I V Z U
H E M O Q W W B D V G E B C A F J B L O
N G N I V R E S B O W Q I K S L P K C E
```

ADVENTURE	HIKE	PARK	TRANQUIL
BIRDS	MOUNTAINS	PEACEFUL	TREES
EXPLORATION	NATURE	SCENERY	WALK
FLOWERS	OBSERVING	SERENE	WILDLIFE
FOREST	OUTDOORS	TRAILS	WOODS

Puzzle #51
TAKE YOURSELF OUT FOR A FANCY COFFEE OR TEA

```
D F S N W X J S O C N O I T A X A L E R
F L A R G I N U B U J R X F D T R X G J
X A W K A S A G A A S P E C I A L T Y E
O V W J M X E A Z D X F M Y B N W C W X
H O P P O L D L O G X R I J A G C K Z Q
F R T F R E S V F E R O N B R J P C O U
A S M W A V H R O I W C D P I Q R I R I
H E U N B J V W A G E K U S S X C I I S
H U N O I S U F N I R B L O T N O J B I
R G E B O O T G F I B C G O A E F Y U T
S N T Y S G N E Y E D M E M H A F H X E
C F T O S Y Z I A K T Q N W P H E T A N
P N A H E H T P C Z Y J C V Q F E O Y K
A I L H R F H E M C G U E C G S O R R N
E R S N P H G H M Q U E B B D X F F Z C
G T V O S D I L V R C P C G U Z O U A Q
I T F O E B L V Y B U S P P L Q J F R R
P I H O E F E U P K M O A A K U E T H R
J T A E R T D H C L V H G O C T A Z U N
T Q R Z Q U R H R D V Q S J C K P J S X
```

AROMA	COFFEE	FROTHY	RELAXATION
BARISTA	DELIGHT	GOURMET	SIP
BREW	ESPRESSO	INDULGENCE	SPECIALTY
CAFE	EXQUISITE	INFUSION	TEA
CAPPUCCINO	FLAVORS	LATTE	TREAT

Puzzle #52

READ A NEW BOOK

```
S U V E R U T A R E T I L B E S C A P E
S W E G D E L W O N K G I I Y C P P C G
F C Q O R P R O T A G O N I S T R V A E
U A B G Y K I O K G G L F I Y M A P Z V
R N N I M O T B A R H F X N R Y Y T U R
O I Y T J N Z R A Y L C B B B T B E I H
C J P Q A G X P F N S R E T C A R A H C
K P B B N S H V O N Z Q E R Q X A K K Z
N O S R A Y Y I O G N I D A E R N Q X U
Q O C H A P T E R S K M R C N I T N A Q
H U I I O C Y R E L W S P V T R A O D E
Z D Z T I B G R O L S B O O K K G N V Y
N N G F A P O E E H H T Y Y G V O F E C
M L I A A N U K X T T A O O N Q N I N J
P A H P C S I B E Y S U B R T A I C T G
T L O J N J S G E N L Y A M Y S S T U L
C J O P V F Z S A K D Y M B B B K T I R K
B Y E T U E H G N M U K N T T D J O E E
U D Y V Q Z Z O I O I L E V O N O N U J
K J W W U X G D O Y J G N I Y N X W S L
```

ADVENTURE	CHAPTERS	IMAGINATION	NOVEL
ANTAGONIST	CHARACTERS	KNOWLEDGE	PLOT
AUTHOR	ESCAPE	LITERATURE	PROTAGONIST
BIOGRAPHY	FANTASY	MYSTERY	READING
BOOK	FICTION	NONFICTION	STORY

Puzzle #53

DANCE TO YOUR FAVORITE MUSIC

```
G H Z N P I Q I X Y R A X K B N M T N P
K N Y C X M T P T Z F R E E S T Y L E M
M M D D Q F Q A T U F S D Z G H C Z B I
B X K S O E V S Q L W G A Y V Y Q N M V
E R F E D L S U O A B P N T N Q S R U H
B N Q E N U E W Y R O N C E R S M Q S B
G F O O F H A M K O A I E M P D J J I Y
J R T I G F E I S T Q H P P S L S P C C
R O A V T P L W C D K A H O S Y V H I H
V F Y C G A L E X P R E S S I O N V Q O
X D D E E X R R H Y T H M W N O F H C R
K W I E V F P B K L V Z V M S T A E B E
N R P B N O U F E D V M J S E F C R N O
U W C I V E O L O L S B S Y D B M U J G
A U Q D K V R R O O E A O B I D F X C R
F F Y S H J K G G X T C F I V R A X X A
A O C J J I A C Y N I W I I K E V O M P
X C J S M B P S N K I P O L C M E H V H
J R V C Z G Y C S Y X T T R Q X I A I Y
O P O W D B Q B D W S W N C K W O H O Q
```

BEATS	**EXPRESSION**	**GRACEFUL**	**MUSIC**
CELEBRATION	**FLOW**	**GROOVE**	**RHYTHM**
CHOREOGRAPHY	**FOOTWORK**	**JOY**	**SWAY**
DANCE	**FREESTYLE**	**MELODY**	**SYNC**
ENERGY	**FUN**	**MOVE**	**TEMPO**

Puzzle #54

CHECK IN WITH EXTENDED FAMILY

```
R K L G A A D Z S C K Q U A O L B P M Q
M D G B Q E W G N U V I F M U F N G Q M
R P Q R A X E C O N N E C T I O N J B S
R E L A T I O N S H I P S E I W U P N M
H G L Q C O M M U N I C A T I O N O R J
E G H A F O Z G U U D P A G G B I Z Q N
Q Z W A T M N X Y N Z I R W B T Y R L K
M S X B W I V V E Q C D E K A Y R E U T
S U Q E R X V T B E T X Y R L R V M Y P
F P P A P Q A E R Y J G E I G L U I G Y
W P C P R D Y P S M N N M N U O V N A A
N O T I P P P W U I E A M W I V U I T V
U R E U S A K F D G F J M Q D E F S H U
R T X D T A B N F I M M K W A P U C E J
T O P Q Z H O O J U T H K P N O A I R L
U J G G F B X G H C A D V I C E M N I K
R R E U N I O N A N P Y J K E Q U G N S
I X Y H P C O N V E R S A T I O N N G H
N L C E L E B R A T I O N S E I H J S E
G V Y J C Z X X H I J K J F P J G V L J
```

ADVICE	COMMUNICATION	GENERATIONS	RELATIVES
APPRECIATION	CONNECTION	GUIDANCE	REMINISCING
BONDING	CONVERSATION	LOVE	REUNION
CARING	FAMILY	NURTURING	SUPPORT
CELEBRATIONS	GATHERINGS	RELATIONSHIPS	UPDATE

Puzzle #55

PRACTICE MINDFULNESS

```
G M U G H X K S J C R M U S J E S I D Z
R B X R C S A O D H E J Z P Q V B P B J
O V E O O A M K P Q L J Z U N S S I B H
U S C L F I L Y Y T I R A L C J V Y D M
N L N V V S P M Q C Y N Z M P C K X U W
D B E G J E A X V A I I M E C N A L A B
I U S H P S F Y U M W Z X D Z C K N M O
N G E K X N U A I Z T A G M C P L T I C
G R R Z H E F T H F T B R E F I B M N Z
D A P U P S Y K N D I E P E U N J C D L
P T F A K A N Z S O L T C L N T J O F S
F I P M P G I R A A A N B V C E E D U I
H T B R E A T H X N E Y J P D N S C L L
K U L L K O W A C I N R Y N O T B S N E
R D T A O G T E T O Q B E Q L I D P E N
Y E D F T I L A Q Y D G I Z F O C U S C
J B H A O M P K V J H A H X P N E V S E
L W C N L A M W Q E C N A V R E S B O P
C U I X C T K G S S E N L L I T S Y P M
O X N O I T A T I D E M I O A Y N U O M
```

ACCEPTANCE	CLARITY	INTENTION	PRESENCE
AWARENESS	EQUANIMITY	MEDITATION	RELAXATION
BALANCE	FOCUS	MINDFULNESS	SENSES
BREATH	GRATITUDE	OBSERVANCE	SILENCE
CALM	GROUNDING	PATIENCE	STILLNESS

Puzzle #56
TRY A NEW RECIPE OR BAKE SOMETHING FROM SCRATCH

```
C D W V U G R I C D Y C N C O U G J U F
D Z S T N E I D E R G N I U R E Q Y L G
B Y R O V A S O O Z M P E T S A T V D Q
P F R D N U H R G T N E M I R E P X E C
J Y R T C Z U E B A P E M Y U H J C Z I
K G R P W A N E G A M I X I N G T U F C
D S E U B J S Y X H K I Z I E Q V L L I
E G R M I R X G W Q P I P D P I A U F J
Z R E C I P E X N O L F N C O V E X L Y
G N U F K S I H W I B O F G O J D A A R
T R S Y E D M N Z Y K K X R S O A X V A
S E E P H E S Y J C I O S I U O M K O N
X U M M P A X S R T D A O G E V E X R I
Q U W R T W V M C F N L H C Y E M O F L
A W E E U I B H W C N A E A G N O W U U
I O E M Q O E I G V V E Y K J J H B L C
D W E X E N G L D Z G M Z A O F K L D C
S Z M X U F B Y S P B F Q R P W G N K B
G U M G C R E Y T I V I T A E R C U Y G
I J N R K S A T I S F Y I N G O R U P W
```

BAKING	EXPERIMENT	INGREDIENTS	SATISFYING
COOKING	FLAVORFUL	KITCHEN	SAVORY
CREATIVITY	FLAVORS	MIXING	SWEET
CULINARY	GOURMET	OVEN	TASTE
DOUGH	HOMEMADE	RECIPE	WHISK

Puzzle #57
ATTEND A LIVE CONCERT OR MUSICAL PERFORMANCE

```
Y E G C N R E P L H B B Z O N S W W M K
G C C D S E Z P E O S Q U O D Y C Q T M
J L D N V N X O A P L A U S E X P N H
Z Y S T A S L E E W D W N N O X G E T
W F B O T M V I V K L Z F M D W R T M Y
Q E H A Y V R I E M W Q R J W F K T E H
H S G G F R S O A L I V E I V W L E T R
Q E U Q T C S M F S Q L N B T S U N I A
Y H M X N J Y I I R K G B C W E A E C C
Z N W E O X Y N B C E G P T C U C R X R
A A O R L G I G K I U P Z Q D B W G E S
O B S M K O J F R S J S I I A X H Y N U
R N P O R S D C E U O J E R Q N D B R T
C B C G K A Y Y N M Q N T Y C U N L K E
E V Z D E B H P E E C I V N Y L U X M K
R T G B D N A B U E S Y A D W U O J F C
O B F C M U T E N T L Y R I C S S H I I
C O G W F T D J E V H N Y B S E K B Q T
N F H V O Y Y P V J E S T X D Q W C R O
E G S U E V U Q V I J H T R E C N O C X
```

APPLAUSE	ENCORE	LIVE	RHYTHM
ARTIST	ENERGY	LYRICS	SOUND
AUDIENCE	EXCITEMENT	MELODY	STAGE
BAND	GIG	MUSIC	TICKET
CONCERT	HARMONY	PERFORMANCE	VENUE

Puzzle #58

LISTEN TO A PODCAST YOU ENJOY

```
I J W L C E V P E D O S I P E U G C P T
T X J H V T N E M N I A T R E T N E R M
F E M X F Q Y Z P I A N N D P H C E W J
D E V G S P R N Y N P V T G A P R L V E
D G S W H D K E L S Y W P E W U A N P U
Q D T E U A S T H I U C P V R F D A R N
G E O F D H F S U G D D F H Y V A I I A
X L R R O U D I M H W P H V Z C I A O C
W W Y W Q E C L O T T S O H R F S E N X
Q O T S O N D A R O X Z Q H W L C R W M
O N E Z A K Q R T E N G A G I N G B S Z
I K L L C I P O T I O V U G U E S T K W
N C L N E C E L X J O H S M A A W I L O
S U I A J T Y A A G Z N U P P R U E M Z
P W N M N O I T A S R E V N O C E K Q Z
I A G L M Q O X A G A A L V A Z M N Q R
R T Y H L N O I S S U C S I D F K N O D
I P O D C A S T O R D Q N Z F C U A K U
N C D S S G H C Z Z T S T G J E X O W B
G H V A W B E V I T A M R O F N I U O T
```

AUDIO	ENTERTAINMENT	INFORMATIVE	LISTEN
CONVERSATION	EPISODE	INSIGHT	PODCAST
DISCUSSION	GUEST	INSPIRING	SHOW
EDUCATION	HOST	INTERVIEW	STORYTELLING
ENGAGING	HUMOR	KNOWLEDGE	TOPIC

Puzzle #59
SORT AND RESPOND TO EMAILS AND MESSAGES

```
C K C F E V R J D L P R I O R I T I Z E
E R X W Z X Q B Y A M O U A J W G L X E
C M W Z V P H P R L M B G D R E Z K R I
C I S A A S G C J E P W L B A R Z O V V
D V O Z O S H W H J S E U H M E B R Z C
Z G R G A I W J H H P W R I P O R P U F
T I T V V E T E L E D J T U L P F H M A
E P I E E Q F N Y L Y L E M I T D D T G
Z S N C O M M U N I C A T I O N T F Q Y
I E G C Q Q D Q I H Y P G C V G N E G C
N G F H N N G X N G U F F V F G X X Q N
A A M K O K A G Q S I X W O B I B L X E
G S J P I X H I G L Y R L E M A I L S I
R S S H C M C F T W X D O D T E X O U C
O E I N B O X E T C E J B U S M R W T I
R M C J F F R N B R G T B S X F B Y C F
I W S N J S F B R E T T U L C G X N H F
C V S U N O I T A C I F I T O N M X P E
Z L K A T T A C H M E N T S F C Z U Z D
B O E Z O U V L E E Q I O A Q D F T R X
```

ARCHIVE EFFICIENCY MESSAGES RESPOND

ATTACHMENTS EMAILS NOTIFICATION SORTING

CLUTTER FILTERS ORGANIZE SUBJECT

COMMUNICATION FOLDER PRIORITIZE THREAD

DELETE INBOX REPLY TIMELY

Puzzle #60
TAKE A DAY TRIP TO A NEARBY ZOO OR ANIMAL SANCTUARY

```
S S Q E X C M Q A L N X H E G I E B R Y
H Z M I P Y M M X R D N N O S Q R Y E S
A Z Y M G C A K T Z R C D A Q E E M D T
B N W V T X X Z W L O Y G Z S H W E Q M
I H I B N Q F I O U K A N E E P R X S J
T Z Q M R B O O N H S P R F R E R T Y T
A W H Y A A Z T F N V V I O G X O C L D
T A L C U L E V N G E L J N L U Y O C H
S Y W M A R S A H Q D E A A R E T N O T
T R Q A S N T A U L C D E S P N I S Y C
Q C B W R U L B I T N D S S D C S E R X
J K D D R E E W S E U J M P Y L R R A G
F C V A Q P N D X C O E A E D O E V U V
F U L C H Y H E A A H O R C C S V A T Q
F C Y T A F F T S S D B G I I U I T C U
G W H W O C I A S S H J O E K R D I N P
H J W F O O L P H V Y S R S U E O O A W
D I D E N O O I W G K H P Q E S I N S S
E N J H E X H I B I T S A U S F B Q S U
R O D E N V I R O N M E N T B V X T P Z
```

ANIMALS	ENCLOSURES	HABITATS	SANCTUARY
AWARENESS	ENCOUNTERS	NATURAL	SPECIES
BIODIVERSITY	ENDANGERED	PROGRAMS	TOURS
CONSERVATION	ENVIRONMENT	PROJECTS	WILDLIFE
EDUCATION	EXHIBITS	RESERVE	ZOO

Puzzle #61

LEARN A NEW LANGUAGE

```
A O N E D B L A L A U G N I L I T L U M
K J Z Q Z U N O I S N E H E R P M O C B
N P U L Y C N E I C I F O R P I R U Y N
B P R O N U N C I A T I O N V F W O R D
F S O P Z R E A D I N G D G Z H U O W G
U C K R B E Q Q J H V O C A B U L A R Y
M I N C E C M B U T G A E R A V E M C C
E T J W R I T I N G K S S O S Y G L S O
F S C C N T L L A W G G X T M U W A N N
C I A U F C O I F D O L R A D Q O N O V
G U P L X A O N S L F C C J W V H G I E
G G L T E R A G E T U C O P P W J U T R
R N A U G P E U J U E E M H Q P Y A A S
I I R R W N Z A S N L N N Q Y P Q G L A
H L W A L F I L T W T Q I C A J G E S T
T A N L M F S N Y G K L K N Y X E X N I
V R O U V M J K R M L P K V G D X N A O
D X J G C U A K P A R J E N L T E Z R N
G X Y I D T J R S P E A K I N G I L T V
S V W G T Q O E G L O L G S Z X R L F Z
```

ACCENT	FLUENCY	LISTENING	READING
BILINGUAL	GRAMMAR	MULTILINGUAL	SPEAKING
COMPREHENSION	LANGUAGE	PRACTICE	TRANSLATION
CONVERSATION	LEARNING	PROFICIENCY	VOCABULARY
CULTURAL	LINGUISTICS	PRONUNCIATION	WRITING

Puzzle #62

TEACH LIFE SKILLS TO CHILDREN

```
K T V T E A C H I N G J D L W S E T K C
B C K A G Z O T H I N K I N G K H W R O
H B I R E S P O N S I B I L I T Y A B L
I W N I G G W T I K I J E H J E C B V L
V C D P C O R O J U S U M R L A A L S A
H N E O L A E O W B Q E P K T X I M Q B
C B P Y E L S G V C T C A E M F W G P O
O U E E A S I B A A V I T N K N N I T R
M W N S R V L Q J T P X H A E I H L S A
M H D K N X I Z J M Y E Y R N S W K Q T
U Y E I I S E V S I N I D A R G G B A I
N G N L N H D Q I J L E E W N A V B O
I I C L G S C G L K I L D K I D B X K N
C E E S T Q E P B H C A N K R T Z U Y L
A N M K G K I E C M E R O I L P G R K H
T E K X X C R P I L P O Q Q I O Y V N S
I F P I S B V B B X C P F E D S S Z N J
O G B I J W V S I I F E D U C A T I O N
N U D O R G A N I Z A T I O N W S V W A
H E R U A D A P T A B I L I T Y U D E B
```

ADAPTABILITY	COOKING	HYGIENE	RESILIENCE
CHILDREN	DISCIPLINE	INDEPENDENCE	RESPONSIBILITY
CLEANING	EDUCATION	LEADERSHIP	SKILLS
COLLABORATION	EMPATHY	LEARNING	TEACHING
COMMUNICATION	GOALS	ORGANIZATION	THINKING

Puzzle #63
PRACTICE GUIDED VISUALIZATION OR GUIDED IMAGERY

```
Q W N S G H N O I T A Z I L A U S I V N
G P Q G S A G W E C O Y K D G Q N G M D
I Y A Z K E K A S P B N G Q E S U J H U
M T F E T W N L H I K R X T R D D W S V
S I F E A P R M A D E H M M W H I Y N Z
L N I H E O B E L L L H Y S Q H S U V A
U E R G R F X C A A O L I Y L P C V G Z
M R M L T T U X B Z C V G S D I O S E B
E E A Z E W A N B N X H D Y R O V M I T
D S T I R T M F O C U S T E P L E R C R
I S I Z I Z M X X O N I F G N J R A I A
T E O O T T G S E M R L D N N O Y M V N
A N N G R E H K I A E G O S X E A Q C Q
T L S Q N F K N L C W I T I Y G R W N U
I U M L U I D C T J T D A P E C B T F I
O F R S B S L I P I J M B R H U P A S L
N D X I E H O A U O B A Y N W N A C J I
C N V T J N M T E T X K L G T F E B U T
N I I C K A N G H H B S W C Z S J X W Y
B M T P P I A I M A G I N A T I O N R V
```

AFFIRMATIONS	GUIDED	MEDITATION	RETREAT
CALMNESS	HEALING	MINDFULNESS	SERENITY
CLARITY	IMAGERY	MINDSET	STRENGTH
DISCOVERY	IMAGINATION	REFLECTION	TRANQUILITY
FOCUS	INTUITION	RELAXATION	VISUALIZATION

Puzzle #64
CREATE A SELF-CARE CORNER OR SPACE IN YOUR HOME

```
N N Q X E D U T I L O S C U T F T X R Z
S J D Z Y W E M N Y T E X X N I F U S J
S V F N T O J G R R N R M V T O J F X O
E N O C I B L N E A R C O F Y V L X V D
N B V N L A H I L U P G Z F G O L A E I
I S C O I B P L A T I P Q E M M R R P X
Z S K I U C E A X C Z I E H C O N R W C
O S C T Q A W E A N Z O A A M L C E J I
C E E A N N M H T A A P T A C N C F R J
O N C N A D F G I S D B T U O E S L S N
K L N E R L P Z O Z S H A I J O T E E W
G U A V T E K K N R E B T S X R W C R N
W F I U X S W R W R U A S R S D E T E F
V D B J X G O E A G T A T U E E U I N M
T N M E L J H P L I V C N S P T U O I C
E I A R I X Y S D L K A Z M Y R N T C
S M W I J C E E I V N S L I J S O E Y P
E V P I Q T M F N R Y E P J A C N I A C
N U R T U R I N G G L T S J V U P W D T
L M S R I L U S N R R U C S Q B C K X O
```

AMBIANCE	HEALING	PLANTS	SANCTUARY
AROMATHERAPY	MEDITATION	REFLECTION	SERENITY
CANDLES	MINDFULNESS	REJUVENATION	SOLITUDE
COMFORT	NURTURING	RELAXATION	TRANQUILITY
COZINESS	PEACE	RETREAT	WELLNESS

Puzzle #65

ATTEND A COMEDY SHOW OR IMPROV NIGHT

```
L I E W K M E U Y C W D B Q D L B I S S
D T B R T K R C N T N O M M X G C P V C
E V K N G U C O N A I G S C V X N U M U
U E G H O B L I O A I E I V J V V G R W
G Z N M R I I S T V M D N G H O A V P X
P W J I H E T T H S T R E A G X K O B N
C R J E L N T A H E P C O M T L E E X R
G E H C A H N N S B P A V F O N E F S M
V T F N W G C J A I T O L V R C O S V T
C H D E E B V N Q B V W P S P E C P Z G
U G E I D O U R U J N O H I X N P C S O
S U Y D J W N D X P E U R P A R O D Y F
K A B U C T H X B O M C J P T E I V G S
E L R A U B I V X O R N F S M N T I A Y
T T M P O D O L R C A L A W D I M T H F
C W Z P V G D I Q R A O H I P V I C D B
H B K K M P W K L W R M L T M R M L W L
T C C O M E D Y W A O T A G E L V N M A
G C V E N T E R T A I N M E N T R F J B
K E R I E D P H I L A R I T Y A D W I B
```

AUDIENCE	GIGGLES	LAUGHTER	SATIRE
BANTER	HILARITY	PARODY	SKETCH
COMEDIAN	HUMOR	PERFORMANCE	SLAPSTICK
COMEDY	IMPROVISATION	PUNCHLINE	SPONTANEITY
ENTERTAINMENT	JOKES	ROAST	WIT

Puzzle #66

READ BEDTIME STORIES TOO YOUR CHILDREN

```
C T R B E Q B Y S A T N A F F Y M M J G
N D U M A O V L D M V O F U M L O Z B Q
A G W S Z D C S C A S J Z K Q R R E V X
T N K H D J V Q Y O Z S C S C M A N N U
S I J B U U N E W P N M A B B L C G E
R L I G O F K U N O E N G A X U S O Y Y
E L S B A M E M I T D E B N E F B U R M
T E R T A C O Z Y Z U J Q K Y R T R E N
C T M A O F G S E Y K R E K V N D A A E
A Y S I Y R W O H L C P E W O K E G D R
R R W W T D I Y C R M A G I C A L E I D
A O L E Z T Z E E V E A T D G X J M N L
H T N Q M X H A S Q U A F N R B P E G I
C S H L B U T G U Z N N I K N O P N V H
U W D G M I U P I I V D T U S O G T C C
A R K U V B N Y G N N S B H U K W E J Q
Z S F I T S Y A D O D K V T T S M D J P
Z D T G I X M E B J Q T H Z Z E D U G B
V Y E D W I T O N O I T A X A L E R M X
M S E I B A L L U L I M G H N T W B C L
```

ADVENTURE	CHILDREN	FANTASY	NIGHTTIME
BEDTIME	COZY	IMAGINATION	READING
BONDING	CREATIVITY	LULLABIES	RELAXATION
BOOKS	DREAMS	MAGICAL	STORIES
CHARACTERS	ENCOURAGEMENT	MORALS	STORYTELLING

Puzzle #67
TAKE A DAY TRIP TO A NEARBY HISTORICAL SITE OR LANDMARK

```
W Y I P J Q S Q Z H F L Q Z Z B A H Z V
O I S N I U R M E R U T L U C T N X H X
C B I B I N T E R P R E T A T I O N K Y
Y O J P P Y C E D U C A T I O N A L M T
R N O I T A R O L P X E P J R V P T P E
L H E R I T A G E C P O L Y T G K N R U
V B D F D Q N C N R A E L P P C A E E E
E S Y Z L A C I R O T S I H C R L M S V
F A R C H I T E C T U R E S T G J U E T
J C G Z D J E S I G O F G I P D E N R X
X E B B F Y P O D U G M F R Q Z N O V E
T Q X H L T R A V E L A N O R U V M A Y
E D M C G A T U X R C B D C B X K C T N
K W J D U L N T B T U F M N M T G R I L
A H P L I R V D O H M U E S U M E Y O V
H H B E D Y S L M U D L Y X Z A P C N W
B Q J C E U P I B A R Y R E V O C S I D
X T F E W I X H O J R Y I O S B J W B R
G F O X D D N C T N D K D B Y J P I V Q
A N T I Q U I T Y S J C B V W O Q B R F
```

ANTIQUITY	**EDUCATIONAL**	**HISTORICAL**	**MUSEUM**
ARCHITECTURE	**EXCURSION**	**INTERPRETATION**	**PRESERVATION**
ARTIFACT	**EXPLORATION**	**LANDMARK**	**RUINS**
CULTURE	**GUIDE**	**LEARN**	**TOUR**
DISCOVERY	**HERITAGE**	**MONUMENT**	**TRAVEL**

Puzzle #68

TAKE A WELL NEEDED NAP

```
W L X O K F X H P G H H I V D J X C A K
J B E E F D S P W D O E I O I W L T G X
F H I E F E I G H Z J X E C A E P D Q P
V I H Y R Y T I L I U Q N A R T P V H A
R K W F L A Q E R K V O V X X S A E V N
Y W E O Z Z P E R E V I T A L I Z E E T
I R L A T D L C B U C Z R Q I R G U L A
A Z M B A A G Q S O E G E E Z E V Z N C
L F P H X I M D M S J K S S E C K A C R
O F Z A U U J F G L E Q T R Z H D Y X Z
C R Q S N N O C Z E E V O C O A E O M A
K D E Z E R W A W E I O R D O R N O Z T
I K S L T V U I V P Q T A H N G A R F E
Q R N U A A I L N O E A T K S E P R V E
C E A T O X T V I D W L I T X R Q E E Y
P N V U Y Q A S E H D I O E N S F S U W
V E S V U Y A T E R N X N V R U Z T I J
W W N I M E M Z I I S L U M B E R N W X
I Y A Y H O Z W K O S C H H O E T B C C
Z D M V U T S L J D N X V U B S P N J T
```

CATNAP	RECHARGE	REST	SLEEP
COMFORT	REFRESH	RESTORATION	SLUMBER
DOZE	RELAX	REVITALIZE	SNOOZE
NAP	RELAXATION	REVIVE	TRANQUILITY
PEACE	RENEW	SIESTA	UNWIND

Puzzle #69

WRITE A GRATITUDE LETTER TO YOURSELF

```
T N D B L I I Q R E F L E C T I O N K R
N K S G M W Q S S E N I P P A H E L W M
E I N T P P I X Q Z N J U K R C X D S B
M R E E R T X A Z O E T F D H N V S L F
G M A T S E G Y I N F A L W A G E Q V R
D C F A R M N S K E C L G S C N H S H D
E J O J C J S G C H E C Y J L F U P O G
L G X Q J A P N T V G A Q U R I G H E D
W H R U P K E Y O H C T F I C F A D Q N
O A D M L I I L T W N D Y R J X U S U O
N T O H L W L P B E N J W Y T T T Q W I
K C X I U G G L M I O E S L I J H U W T
C F S H M D E R M Y Q K G T G M A O M A
A E S A T S E X O P Y N A Z P X N A O M
R O Y P S W V E R A C R N S S M K Z V R
Z D Q I O V O N Q Z G S Y B F B F M E I
A M N P O Y U R Q V C O F A T A U W H F
M G M M P B A K G J X N W U U C L P A F
S E D W R V J Y T I V I T I S O P K X A
T B T N O I T A I C E R P P A R A Z A R
```

ACKNOWLEDGMENT	COMPASSION	HAPPINESS	POSITIVITY
AFFIRMATION	EMPOWERMENT	JOY	REFLECTION
APPRECIATION	GRATEFULNESS	LOVE	RESILIENCE
BLESSINGS	GRATITUDE	MINDFULNESS	STRENGTH
CARE	GROWTH	PEACE	THANKFUL

Puzzle #70

TAKE A SCENIC TRAIN OR BOAT RIDE

```
N U R Q Y C E R U T N E V D A K F E A P
O G K T J S P C L E K Q F V E Y L U A X
I M P R Q C I P S T C A E B M V U W E T
T F G Z V N T I T I R N G W W A N W P R
A I V J E C U Y B W E A F Q I A A A A A
X Q V C Z R C A B R F H C R X R G E C N
A D S Y C J M O E F O E K K A Q M L S Q
L P M V O J A S K Y R P S H S J E V D U
E Q Q Z G N J A P U E Q Q B R V M V N I
R D V S G Z I I T R X N Y L A D L I A L
J H J Z W S E A G D Y B R R Z J N A L M
L L X F W E N D R Z K O T U B A W O P D
V Y L E T W Z W B T O A Z J O D X Q O S
R E I U E X I L U Z E T B X U J J H L L
C V O I K E Z N F O N D D A Y K P Q F U
K R B Z E X P L O R A T I O N X F V P T
O X F L K K Z Y S G I E H R G T F Q Z H
N G G R Y A W R E T A W W O Y M W S W Z
C I D X T Z K C L H C I T S E J A M L B
F A X Q G N I E E S T H G I S T B J V H
```

ADVENTURE	LANDSCAPE	ROUTE	TRAIN
BOAT	MAJESTIC	SCENIC	TRANQUIL
CRUISE	NATURE	SERENE	TRAVEL
EXPLORATION	RELAXATION	SIGHTSEEING	VIEWS
JOURNEY	RIDE	TRACKS	WATERWAY

Puzzle #71
GO TO A LOCAL FARMERS MARKET AND BUY FRESH PRODUCE

```
I P Q R D Z P P S U S T A I N A B L E N
P B K V W O U X R T H B Y H F M B P D B
H W Q A H D W O T O C H A T I X D G D C
X I E F O Y T R A E D Q L A C O L U W Y
W K E O N J C V S C G U S G S L J C T S
D U F L L P E F V U A G C R Y K P I Z J
E P T E C N U S R E Y H U E A W N D F C
C M E I D D J R A E G Z O P V U Z P L J
R A K O W A G O M B S E U M M O F I U Q
U Q R D S Y Y V X U K H T M E R F Y T K
O S A B S W B A N L Z C O A U M V M S F
S N M G W S P L K V A C B I B R A Z B C
E I A F F Y R F N P U N T S E L P D I C
K Z Q T L D I E H C P S A B T N E J E L
D H Y S U U O H M A I E L S U C Y S T L
V O M B P R M W B R R N W C I L M E X M
S H K Z C F A A O S A V A Q G T B H V P
S X R I M Y V L P E E F E G H C R O L C
B V S H S E A S O N A L C S R Z I A Z K
L N U T R I T I O N P Y P Y T O X D N A
```

ARTISANAL	FRESH	MARKET	SEASONAL
COMMUNITY	FRUITS	NATURAL	SOURCED
FARMERS	HARVEST	NUTRITION	SUSTAINABLE
FLAVORS	HOMEMADE	ORGANIC	VEGETABLES
FOOD	LOCAL	PRODUCE	VENDORS

Puzzle #72

COMPLETE A PERSONAL PROJECT

```
P L U B V T C E J O R P Y C D T P Z A A
M O K C K Z R N A C H I E V E M E N T N
E O W W K S E A I A I T P D D Z Z O O R
E O P B S V U G A F Q B S G I L Y Y F J
N T L H P V P V N Q H E V Y C F S Z U R
O S F A G Y G N W E N Z T U A M S Z L P
W S I C I E P E H I L I T F T P E P F Z
F J N C G A F E L S V L H I I J R L I P
K J I O R C X D R I U B A D O B G A L R
T T S M G I A M T S R H Z H N Y O O L O
A N H P Y E Q A E C I X N Y C O R G M D
S Z O L D R E R P O S J G M G P Q E U
K A G I T R E Y R Q H M T Y M I Z V N C
Y S O S C E K T T R F W M E B N C X T T
W U U H M S T T S E I W B I N O H H A I
A C X M M O T I V A T I O N T C P X I V
Q C P E R V M H B V M S G X D M E V F I
I E X N O B K F H K G J X H G A E M C T
M S L T G N O I T C A F S I T A S N X Y
W S O X S E X V K L B T Y G O X H W T U
```

ACCOMPLISHMENT	DEADLINE	MASTERY	PROJECT
ACHIEVEMENT	DEDICATION	MOTIVATION	RESULT
CHALLENGE	FINISH	PERSISTENCE	SATISFACTION
COMMITMENT	FULFILLMENT	PRODUCTIVITY	SUCCESS
CREATIVITY	GOAL	PROGRESS	TASK

Puzzle #73
WRITE DOWN YOUR STRENGTHS AND POSITIVE QUALITIES

```
D W J A M K Z C G C Z I U I N N Q O K L
A V K G U Y D O Q N D P X V D P K E A B
C A Y T I L I B A T P A D A T I V R S J
V Y Q G R A T I T U D E N S N H Q B H B
R P F H Y E G A R U O C T D T S C R V Y
U N P I N T E L L I G E N C E R O G G S
J V V Q M A Z V M P D E F I O E M C E X
S H T G N E R T S A S T U Y P D P X N W
D G W L H G N G T S I K I U A A A U E E
I N O I T A N I M R E T E D T E S V R C
M N G Z N K H U M I L I T Y I L S Q O R
Q E M P A T H Y E H Y I W I E Y I X S E
U Z N H G U H T G Y S V V N N G O C I A
J J D U G G Y A C A G Z Z B C B N X T T
Y T I V I T I S O P W T A D E C U A Y I
C O N F I D E N C E Y W F P D T J F H V
J Q V E E C N E I L I S E R X U U B O I
K C Q U A L I T I E S T E U W P W G B T
N M O P E R S E V E R A N C E W F E B Y
K E E G R I R V M T O P T I M I S M M N
```

ADAPTABILITY	**DETERMINATION**	**INTELLIGENCE**	**PERSEVERANCE**
COMPASSION	**EMPATHY**	**KINDNESS**	**POSITIVITY**
CONFIDENCE	**GENEROSITY**	**LEADERSHIP**	**QUALITIES**
COURAGE	**GRATITUDE**	**OPTIMISM**	**RESILIENCE**
CREATIVITY	**HUMILITY**	**PATIENCE**	**STRENGTHS**

Puzzle #74
TAKE A DIGITAL DETOX AND UNPLUG FROM TECHNOLOGY

```
F Y C R D I S C O N N E C T X U E J N W
O L R E V A N A L O G W Y N O L F T A O
X R E F L E C T I O N S C D I Y X S H D
Z E P C J U S Q E P R E S T N M Y I Y I
L T C O J P X I T N P D Y N F Y L W B G
E Z F N Z Y L B U S A E O J Y U N O N I
S G Q W A L M N P C S T M Q A K N B N T
L X M Q Q L X Y I D E A U V H C B W A
G F N P W U A A B Q I C S R D T L V E L
Y H S X L A F B U W B H O S E E H I B P
G G S O M J B I N H B W L A F N N A T X
O U E D E M E U U X O A I D D I S O A J
L L N V L T F Y Y N H K T W E L D R W N
O P L O B P N L L F M I U L T F S E R F
N N U Z J N B H P I H I D T O F E C H V
H U F S N E E R C S Y K E O X O N H L W
C Z D C T D P R E L A X A T I O N A E H
E M N N H Z K G P E O Z Y V H R T R K R
T G I R N V J R R E C J D Q V P O G Q L
B S M S L I D B Q Y R F P L Z O B E O U
```

ANALOG	DIGITAL	OFFLINE	REST
BALANCE	DISCONNECT	QUIET	SCREENS
BREAK	HOBBIES	RECHARGE	SOLITUDE
DETACH	MINDFULNESS	REFLECTION	TECHNOLOGY
DETOX	NATURE	RELAXATION	UNPLUG

Puzzle #75

ATTEND SCHOOL OR COMMUNITY EVENTS

```
H O T T N T N T P E R F O R M A N C E U
Y C I Z N R F R I A F Y W M Q B O C P Q
A E P R E S E N T A T I O N E M L G V Z
N L I Y N Y S C G Q O L J I M O W A N Y
O E Y U Z U T C M C K J T U O G Q F K E
I B G D O R I L E N F P N H C K I Y K
T R T N J P V L Y C Z I C A Y X E W X J
I A V E I V A M N E T S R I O Y D E X I
T T P S C R L K X Y Y K T R E C N O C F
E I N C B K E H T G N I K R O W T E N U
P O X F R O I H E D A R A P D T E G S W
M N H R I B A J T S V I H J Q G R O C L
O Y Y K I I W P N A A W B T J A U C U Z
C Y G T D S Y O W L G Z A N W K T L O Y
O P I G R K D E V E N T S D S Y C M I X
W O R E S I A R D N U F V M L Q E U R I
N N A Y S E M I N A R Q B M X E L Q W I
Z X K U C O N F E R E N C E Q B M O B T
X N O I T A U D A R G G V T S H A W Q H
Z P N C Y P W O R K S H O P P F C R U L
```

CELEBRATION	EVENTS	GATHERING	PERFORMANCE
COMMUNITY	EXHIBITION	GRADUATION	PRESENTATION
COMPETITION	FAIR	LECTURE	SCHOOL
CONCERT	FESTIVAL	NETWORKING	SEMINAR
CONFERENCE	FUNDRAISER	PARADE	WORKSHOP

Puzzle #76
STAY ORGANIZED WITH SCHEDULES AND TO-DO LISTS

```
U A E R U T C U R T S K U D B E E D N C
W C L M A P Y T I V I T C U D O R P L Y
W L U J J U F J M O C Y V K W D E G R M
R S D D P R O C R A S T I N A T I O N A
P B E R N O I T A Z I T I R O I R P J N
C D H F E O E K D S U C O F F U O W M A
S Z C E F F I C I E N C Y S U V B E Z G
X O S Z Y Z C R A D N E G A X Q B P T E
U U S W O R K F L O W Q S E E Q O E N M
T O R F Y D W P R L Z P J U C N V D E E
Z H E J O R G A N I Z A T I O N X O M N
R R D F W D Q R O U T I N E T I S D T T
X A N P S E H Q U X Z O L R T M P K N H
A D I N X A B N G N I K A T E T O N I S
N N M R S D C M E K E C E N R Q G G O G
N E E W E L V A D Q K O M K W N X T P S
H L R G L I N Y D I P G N I N N A L P N
S A A C I N G H N S W N K C Y A Z X A C
E C X D K E W G E S T S I L K C E H C P
V M I H R S D W J U X Z T F V W Y O Q Y
```

AGENDA	EFFICIENCY	PLANNING	ROUTINE
APPOINTMENT	FOCUS	PRIORITIZATION	SCHEDULE
CALENDAR	MANAGEMENT	PROCRASTINATION	STRUCTURE
CHECKLISTS	NOTETAKING	PRODUCTIVITY	TRACKING
DEADLINES	ORGANIZATION	REMINDERS	WORKFLOW

PRACTICE PROGRESSIVE MUSCLE RELAXATION

```
Y K U H U W E M R Y T I L I U Q N A R T
K S T R E S S N I E F P V R B Q F E T J
B L U D B A V H N Q S P P S O Q M W T L
N F E R J L O N R O D T M J D M K V F Q
B S S E N L U F D N I M O K Y H G M E X
R F V V N C I A D I F S C R M F J M C N
A V Y A U T O G E N I C N F A D A K C L
C O N T R A C T I O N V G E O T K J O B
N B A E G E M V L Q X H I A T C I H H D
O K F U N W I N D Y A D E K Q D U V F M
I A E L I P L P H F Z K A Y V D O S E O
T H E R H D D K Q E A S W Y N Q F Z N R
C V C L T M T L A C I S Y H P E P X E Z
E Z I R A V C A L M N E S S I X O L M Q
N J T Y E S C L F Z I J I L T P E U W P
N G C V R W W U Y P G Z E R A A S Y W G
O K A S B P B Z J A O R U A S C M T J U
C V R J I N F S K G P Q G E L E C G E G
I Q P A W A R E N E S S A E G J F E T Q
B Z R E L A X A T I O N X R H K M S C V
```

AUTOGENIC	CONNECTION	PHYSICAL	RESTORATIVE
AWARENESS	CONTRACTION	PRACTICE	STRESS
BODY	FOCUS	RELAXATION	TENSION
BREATHING	MINDFULNESS	RELEASE	TRANQUILITY
CALMNESS	MUSCLE	RELIEF	UNWIND

Puzzle #78

PLAN AND ORGANIZE FAMILY OUTINGS

```
X K O T K R L X K S E R U T N E V D A M
M E R L R D G Z L I U K X F N R W Q H E
D A C T I V I T I E S F F O K Q E L E M
E X C U R S I O N S S W I O J A J C E D
O N Z L K E Q T K P T T Y F N B I W M P
B O F R Y N N Y I B A R K O W R X R Q E
T O K N Y A G R S R A G I G R F A R I Z
N M X Z T S T S O R N T S X P P E K X N
E Z S U Z V G L E I A M G N I D N O B O
M I R L V N P N E N M E Q X F G G A P I
N E S W I X I E I V S M H K A P H T Z T
I R H T E T S T C K Q O F P M L C F H A
A M U A I T S M Z V E R G S I A R M T N
T O Y D H E F V Q W V I M W L N A E I I
R Q S G D U X N O R I E P X Y N E E W D
E R I A N W S Y L U K S A R U I S B M R
T S U Q M R Z F J J S B R D G N E I Q O
N N V B D Y V M C P U P K H B G R C O O
E M Q O N H N Q I D V R S C J B U T Y C
E P J U Q W H U L E V A R T O T G V Q U
```

ACTIVITIES	ENTERTAINMENT	ITINERARY	PLANNING
ADVENTURES	EXCURSIONS	MEMORIES	RESEARCH
BONDING	EXPLORATION	NATURE	SIGHTSEEING
COORDINATION	FAMILY	OUTINGS	TRAVEL
DESTINATION	FUN	PARKS	TRIPS

Puzzle #79

EXPLORE A NEW PART OF YOUR CITY OR TOWN

```
X T C L A N D S C A P E S C G Q E M S G
U Z Y L E X P L O R A T I O N G R C B N
J G Y S T N E V E D Z G G A V Y Y T W I
I A Z H E I B X P J O B R C U R F E H E
V L V F S T R J P L O C C P M E T G S E
B L Y P U T I W A F H Z S M L V A X D S
M E N Z N K E N L I I P F S G O P H O T
J R G I M C D K T G O K A H Q C B F O H
J I N F M M A E R H C B U R H S S E H G
G E P G A C C O S A D T L P L I T S R I
J S H R V T S P S A M L H Y J D N T O S
G U K I U N A M S T R E E T S X A I B V
V S U R D R O L C R R C Q S S I R V H V
E P E L K D A P Z U T A B M P A U A G I
N R T S F D E L T W D F N U N E A L I X
V J B Q Y R H N X V V E C E W R T S E Q
P R S P G P E M A P S S Y S W D S G N E
W A M I T V Z Q F F U O M U K N E F P H
R W B F D W J Z L C G J C M N T R C R V
Q P Z A T V B K E F P H J D I B Z A B R
```

ADVENTURE	EXPLORATION	LANDSCAPES	PARKS
ARCHITECTURE	FESTIVALS	MAPS	RESTAURANTS
CAFES	GALLERIES	MARKETS	SHOPS
DISCOVERY	HIDDEN	MUSEUMS	SIGHTSEEING
EVENTS	LANDMARKS	NEIGHBORHOOD	STREETS

Puzzle #80

PRACTICE DISCIPLINE AND SET BOUNDARIES

```
Y C D E T E R M I N A T I O N W J T X S
M G P N Y T N O I T A C I F I T A R G L
X N O U V Q D Y C N E T S I S N O C R N
W H W E X F O C U S Z P P T X R X O F O
Y S E I R A D N U O B P D N D I U T R I
P T I F W U P I S L J J F W X T C X S T
L R I K J I T R J K H K L Z I P P Z V A
V A O L Z V L C I M O U U N H D Y U M C
U B B D I B Z L U O A B E D C J A B X I
K Y J V U B A J P R R N S F B P E P Y N
A F N F M C A L D O T I A F P G I W A U
K I D S U S T T A R W S T G H F S D E M
H F O S T L T I N N R E R I E J D G C M
L L O A V I Y I V U C O R Y Z M J M C O
I M D H C I M M B I O E R L R A E I V C
W Z D Z U W U I P A T C V V K N T N D I
I D P M L I R X L D H Y C P Z W N I T H
E R E S I L I E N C E C O A L A S G O I
A S S E R T I V E N E S S M E M I T V N
Q U Q U Q Y B F M T N E M T I M M O C Q
```

ACCOUNTABILITY   COMMUNICATION   HABITS   RESILIENCE

ASSERTIVENESS   CONSISTENCY   LIMITS   ROUTINE

BALANCE   DETERMINATION   MANAGEMENT   STRUCTURE

BOUNDARIES   FOCUS   PRIORITIZATION   TIME

COMMITMENT   GRATIFICATION   PRODUCTIVITY   WILLPOWER

Puzzle #81
FOSTER A POSITIVE AND LOVING HOME ENVIRONMENT

```
K Z O N I I W T N E M E G A R U O C N E
W A Z W Z A Z C J X T A A H U N J A X H
I J N A T C E P S E R H V M S J T I K A
L M Q P M C Y R H W Y G N I R U T R U N
J E H G P E W R A Y Y V H T U E Y N B O
S Y O J S P S O R N O I S S A P M O C J
S L L A W T N G M E S Y U E S V E I U Y
E H X H O A S P O P T P C B Y V J T Y T
N F T O K N A C N D P U H T O G G A X I
E G T H C C T W Y O K V I L U J Y C L V
V R T J H E Z S R Z C N J E T F H I A I
I A L H M B O T W P U P O M L S T N U T
G T S S E N D N I K Z H P P T K M U G I
R I L L K X X Z E Q Y V M A C M R M H S
O T Q V W T S I Y M M H S T L W A M T O
F U I E V X S S H T Q L W H I M W O E P
W D X Z W I K U I G V H I Y A Z W C R R
P E Y X U N D E R S T A N D I N G L Q M
M Z Y J O L B L V T Y I E Z G X H D P M
S A E X W Y F K I R F S G Q H I P F X Y
```

ACCEPTANCE	**FORGIVENESS**	**LAUGHTER**	**SUPPORT**
COMMUNICATION	**GRATITUDE**	**LOVE**	**TRUST**
COMPASSION	**HARMONY**	**NURTURING**	**UNDERSTANDING**
EMPATHY	**JOY**	**POSITIVITY**	**UNITY**
ENCOURAGEMENT	**KINDNESS**	**RESPECT**	**WARMTH**

Puzzle #82
TAKE A COOKING OR BAKING CLASS TO LEARN NEW RECIPES

```
Y M F W H S Y V U H G I Q X K Y S S M J
A R J Q L C U U D T D L S R O V A L F D
E I A W K S I N R W E M P W O T L N G N
M M P N T P K N D G D N R N W W H O P O
S W L G I A F I R Q N K S L G B I H D I
E A L N D L M J L O B R U I H W F P D T
U M D I A N U Y F L S A P F L G T R R A
Q B T T I M K C M C S E K I S S V C S R
I F B A H X Z I P O A T P I P B Q O D A
N E C L R Q K A B X N P Q I N Y D O O P
H L H P N Z S I C J I O H T C G G K H E
C M E H S T D U V P M S R H E E K I T R
E O F L R T M D L P D P J T L M R N E P
T P N Y K V V C I H S N S O S L A G M R
M P H E M V S V Z V Z A L E W A B Q P T
P R Z N Y O B M G D T W J W O F G M H C
Q C R E A T I O N S N G O U R M E T F Y
B X T L N W N B K N O W L E D G E Q X Y
S E X P E R I E N C E J G M N K F N B A
S T N E I D E R G N I U L J O G U O T D
```

BAKING   EXPERIENCE   KNOWLEDGE   RECIPES
CHEF   FLAVORS   METHODS   SKILLS
COOKING   GASTRONOMY   PASTRY   TASTE
CREATIONS   GOURMET   PLATING   TECHNIQUES
CULINARY   INGREDIENTS   PREPARATION   UTENSILS

Puzzle #83
PRACTICE AROMATHERAPY WITH ESSENTIAL OILS

```
Y H Y Y Q S E C N A R G A R F S Z G R R
C X Y H T D E U C A L Y P T U S N E Z E
I R H P C I S F W L G H R J O I L X F L
T J A L O D X K U R W A D M A J X G R
U Y S J N C C Z O S K G Z L X M A X Y C
E Z E E B M I S E O U W A A N Y H F O D
P X L X N P E T K S Z C T A O B S U I W
A B K I I M E R A H O I L S R S A F A Q
R L J F A T E P V M O B D N F O F K A Y
E U P R Q D V E P N O H Z Z C U M Y M P
H G Y H N N S M N E Y R W H S B E A C A
T O L E D Y D C E O R W A E W X P S L R
Z B V T K P V T E U I M R N O F S T A E
C A Z Z O V R S P N O T I Y F E J N I H
L Z Q U M T U R T M T T A N N R A H T T
I R I O O R F O I F G C S L T Z X N N A
O Y G G Q T E J L J A R J L J A Q W J E M
E H S I U S E C F T X E F T E H B W S O
Q C C T Q U N Y X J W H I J I D N V S R
A U R W O A T H H E A J W W M S A I E A
```

AROMA	**CHAMOMILE**	**FRAGRANCE**	**RELAXATION**
AROMATHERAPY	**CITRUS**	**INHALATION**	**ROSEMARY**
AROMATIC	**DIFFUSER**	**LAVENDER**	**SCENT**
BLENDS	**ESSENTIAL**	**OILS**	**THERAPEUTIC**
CALMING	**EUCALYPTUS**	**PEPPERMINT**	**WELLNESS**

Puzzle #84
WRITE DOWN YOUR DREAMS AND ASPIRATIONS IN A JOURNAL

```
W X K B G D G A S N V O R Z M E N W N H
S N F M N W H U M I D H H Y U D O D G W
F Y J Y I W T A S B M B A U D Y I S A J
S X I U L E W I Z U I G K S Z Z T O N D
C A C W A Z O L V O S T D A E O A M J T
U A U U N N R A O R S D I D Q U Z S S Q
N N B H R C G Y X D G Z T O W I I N M S
O K B C U X S N O I T N E T N I L O A R
I A A N O I S S E R P X E S P S A I E B
T N E F J C L A R I T Y P U T I U T R F
C O H F M X I M W V A I R K T B S A D P
E I S O S J T J X J R P P K M P I R W F
L T I E P Q F P N A O Q O B W Q V I R D
F A U B R E B R T S D D Z X O E V P J I
E V Y Y T D S I E G E A G A F H E S F G
R I M H E O O L F N S F W F I N P A P O
W T W F L N Y T I L I B A T N U O C C A
U O F J W K T N E M R E W O P M E S P L
D M F N O I T A T S E F I N A M D M L S
X P F Z N U X H D B S P N K N L Q U T O
```

ACCOUNTABILITY	DREAMS	HOPES	MOTIVATION
AMBITIONS	EMPOWERMENT	INSPIRATION	PURPOSE
ASPIRATIONS	EXPRESSION	INTENTIONS	REFLECTION
CLARITY	GOALS	JOURNALING	VISION
DESIRES	GROWTH	MANIFESTATION	VISUALIZATION

Puzzle #85

GET A MASSAGE

```
N U Y E J C E M H R K N U V N H L G R R
N X G M E H G F J J G T L L V G O C R E
H F Q L G A A Q T A E K J V V E X F D L
U G Q Y Y X S J A I I T N R O B Q K M A
D S B F E L S R Y E S O T O S D D T P X
C O U X I M A M O T I S Y S T N C B W A
A O O O S F M Z U T I H U R W W S G B T
L T R C S Z Y D O A C N R E J E S V Y I
M H Y M E J V L S R E L E A S E D P G O
N I F V R T E N S I O N E R W L A I O N
E N R M T Q P D A M J K R S E R B E S Q
S G E O S K J B N N K J W E S E Z R H
S K N O R Z D C A E Q R Y H E E R W Q V
X R E J N K I E A A V Y T L U X M U V V
J O W M D O T D E L P T C Q G E Z U I J
E W A E W P I A Y P O S G M K Y Z W K C
Y Y L J R N M S P A U B O T A L T H E Q
I D S G G F O H V M S Q Q T Z M Q Q K P
L O N T V N Q S D N G N I R E P M A P M
S B V K J X U F A V Q L G M D Y A L C M
```

BODYWORK	**MASSAGE**	**RELEASE**	**STRESS**
CALMNESS	**MUSCLE**	**RENEWAL**	**SWEDISH**
DEEP	**OIL**	**SERENITY**	**TENSION**
KNEADING	**PAMPERING**	**SOOTHING**	**THERAPY**
LOTION	**RELAXATION**	**SPA**	**TISSUE**

RECOGNIZE YOUR STRENGTHS AND TALENTS

```
F J P R O F I C I E N C I E S K E H X F
I T E S I T R E P X E Y E V Y E Z B Q L
S G Q B R C K Y U C J C S P L C H U A C
T B S J V V U D R I N S E D N N S F G O
N F E V S N R C G E L L I F L E E P N M
E K I D I V A A I L S L T V L L S L I P
M G T A H E A L I E U A I D A L P Y K E
H H I O W X I K I B X I L H U E E T N T
S Z L D M S S T T C I T I H I C C I I E
I N A S E P I W D H O N B C C X I L H N
L E U R H L L A F M F E A P Q E A I T C
P U Q P I T K H D A G T P V A S L B F I
M Q W B O E G J H S I O A A P Q T A L E
O I A M U T G N S T C P C G T U I T G S
C N J E J C A H E E M C T G I K E P R P
C U K U E L K L N R K P I F T P S A S G
A L B K O K W N E Y T F K R U H U D Z Y
Z K R J K C O I M N T S K F D G Z A Q F
D X Z T R N O Y H S T E M V E H S H S R
O R O W J U Q L O R E S Z W S H N K Q Y
```

ABILITIES	COMPETENCIES	POTENTIAL	SPECIALTIES
ACCOMPLISHMENTS	EXCELLENCE	PROFICIENCIES	STRENGTHS
ADAPTABILITY	EXPERTISE	QUALITIES	TALENTS
APTITUDES	GIFTS	RESILIENCE	THINKING
CAPABILITIES	MASTERY	SKILLS	UNIQUE

Puzzle #87
LEARN TO IDENTIFY AND EXPRESS YOUR EMOTIONS

```
J Y T I L I B A R E N L U V C E R O C U
B V V U G T A R E F L E C T I O N A T E
Y N C F F M S D H R H V H C C J V K C K
Q A C M E S I V E B K M O O T Z R N B Z
D A E U E P S G I O J M P J T Y E R S T
D C Q R M Z U D N Q M I A A W I C X Z N
Z X P T H L E X T U N U A X L I O A A E
I X B E A N J O N G T C X I S Y G R B M
E S M T T U F I D H A P S S C V N T F R
W P I I G N C E E P E E E J F I I I H E
N O F D J A O N M M R C Q Z B Z Z C Q W
N Y B Y T H T E O P O L A B E L E U J O
E B B I S I T T W R A K C J M T M L M P
A Z O J C A I Y P U B T W I W R T A D M
S N V I D O E H T L T Y H A S O N T L E
I R T I N E I C L C Q L S Y T W I E X A
R Y L S O Q R E S G N I L E E F N J Y K
M A R Y E Y C H G N B S S E N E R A W A
V Z U G B G O E H E T J D Z M U B G C N
F Z G N I D N A T S R E D N U O K G A A
```

ARTICULATE	EMOTIONS	IDENTIFY	REGULATION
AUTHENTICITY	EMPATHY	LABEL	RESILIENCE
AWARENESS	EMPOWERMENT	PROCESS	UNDERSTANDING
COMMUNICATION	EXPRESS	RECOGNIZE	VALIDATE
COPING	FEELINGS	REFLECTION	VULNERABILITY

Puzzle #88
EMBRACE YOUR UNIQUENESS AND INDIVIDUALITY

```
B Z S P C L A C L Q M F P W K O C F W Q
E S S E N I K R I U Q N S W R W W Q A I
C Z S M S X J P M K W I L I C T T N P N
N Y N Q S A E P U M U G G U U I X R E D
A T O K E F P M I W M I Y O N Z A N C I
T I N M N M V X N H N A D M I A F S U V
P C C C E H V M X A S N P Q Z Y S N L I
E I O S U L M I L S A J B Z R E R N I D
C R N Q Q D I E T R A R E N E S S A U
C T F N I S T R S E M L V E C Z E F R A
A N O H N Y T P C O Q O V D P S L N I L
S E R T U I W N Y F C I R S A L G R T I
K C M A O J E V B S T I S J O M M X Y T
U C I N L G Y T I C I T N E H T U A O Y
C E T D R U I D N C O N F I D E N C E O
M A Y E Q P G I E X P R E S S I O N S P
C T V Q A R T N S P E C I A L N E S S E
U I P R S S E J I V J W I H H E P H I S
D Q A B I X S A X S D L A V O B H U A F
Q N O D G S I N D E P E N D E N C E Y U
```

ACCEPTANCE	DISTINCTIVENESS	INDIVIDUALITY	RARENESS
ASSERTION	DIVERGENCE	NONCONFORMITY	SINGULAR
AUTHENTICITY	ECCENTRICITY	ORIGINALITY	SPECIALNESS
CONFIDENCE	EXPRESSION	PECULIARITY	STANDOUT
DISCOVERY	INDEPENDENCE	QUIRKINESS	UNIQUENESS

Puzzle #89
CHALLENGE NEGATIVE SELF-TALK

```
T Z U F R U J U R A U Q E E P Q Q T K N
Y R E Q R A T I O N A L I T Y Z E T P T
Q A C G H J Z H B W L P A I M E N M V R
Y U H N E F N X N Z H Y O F C M O I I A
A V A I M E O X S I B E E B O P I N Q N
C H L M I G N I M A R F E R N O S D T S
G V L O N K C J T J V N U I F W S F E F
J J E C D L S Y E A U M S X I E A U C O
V C N R S A N P L V Z Z O D D R P L N R
A P G E E C F I E P I J R N E M M N E M
W Y I V T W D F E R O T L T N E O E I A
A C N O P A X W I H S S C Q C N C S L T
R K G J T Y A Y X R Z O I E E T Q S I I
E H M I M O L U H Q M G N T P C B Y S O
N Z O O Z F E U P W G A C A I S D Y E N
E N J S B Z T A D C O E T O L V R K R O
S B N P B J D A X I A R M I K K I E I P
S M A W M S I M I T P O T A O K W T P C
M O V U S G A K I V R D L H R N P T Y V
M G P G D E V E L O P M E N T I S X J K
```

AFFIRMATIONS	DEVELOPMENT	OVERCOMING	REFRAMING
AWARENESS	EMPOWERMENT	PERSONAL	RESILIENCE
CHALLENGING	MINDFULNESS	PERSPECTIVE	TRANSFORMATION
COMPASSION	MINDSET	POSITIVITY	VALIDATION
CONFIDENCE	OPTIMISM	RATIONALITY	WORTH

Puzzle #90

AVOID COMPARING YOURSELF TO OTHERS

```
V S V P C I N D I V I D U A L I T Y M K
H P U F F I U H Y U Z C M V J H H T B Z
Y C S C P O Z H A Y N Y U Z T W Z U Z F
C O E S C U C I O E J O A W N M Q T S U
X N X J E E B U J N M J O D O X Q H G L
G T C Y H N S Q S R B R J L I G M L A F
K E K U N S E S L U G L E W T R D Y U I
E N P Y G I D U O O G W A M A A C E T L
V T M M I N C S Q J N P L I I T M T H L
Z M I O O U M K P I N T O G C I W A E M
E E N M A W E F E H N T U O E T L R N E
P N D N I Q I F A E E U S W R U V B T N
T T F L Z Q U J C F I N Y G P D S E I T
N P U P D B L Y E Q N D V T P E E L C Q
X M L E L C Q N T P I T B Y A S M E I E
O F N N O I T A R I P S N I H O P C T J
E P E R S P E C T I V E D Y M E A A Y A
P Z S A C C E P T A N C E O W N T S Q X
D R S W N G I N Z M V Y P X B V H I C R
S K Z U T L A P E Q L T L H L M Y K O K
```

ACCEPTANCE	EMPATHY	GROWTH	MINDFULNESS
APPRECIATION	ENVY	INDIVIDUALITY	PEACE
AUTHENTICITY	FOCUS	INSPIRATION	PERSPECTIVE
CELEBRATE	FULFILLMENT	JEALOUSY	SUCCESS
CONTENTMENT	GRATITUDE	JOURNEY	UNIQUENESS

Puzzle #91
PRACTICING GOOD NUTRITION AND MAINTAINING A BALANCED DIET

```
A T B D M M A X R K H Y D R A T I O N T
H Z N Y Y R H K C R S J D M E R I V O U
X J C O Y O U S W W N T S B A P B M B T
O X Z J I Z L H Q P I V S Z T Q C W G F
V C N Q J T O K D G M E D H I M Z N D S
S X B D J L R P G S A J O O N H I E R T
G A T S E C E O R O T X O Y G K C E A N
O B Z K E Y O V P Y I H F N O N D M G E
G R D M S L R R R F V I L O A P F A U I
U E T R E M B A G R L E C L R B H Y S R
O T M M G V T A T A Z P A D V Y N H B T
N I I R W K F J T E N B H P U K H T W U
D H A P E U M B S E I I K Z F P M L L N
O Z Y H R B U E B L G D C F A U W A N I
H Q C N X O I V P Z U E I D R O J E I L
A F C V F M T F T E I D V A R U K H Z K
B Y P B O J G E F A K K W F A Q I M Y B
S G R K C W N B I X K Q J E A S J T S E
U S L A R E N I M N G O T U X W T I S U
F S E T A R D Y H O B R A C Z C K M M I
```

BALANCED	EATING	HYDRATION	PROTEIN
CARBOHYDRATES	FIBER	MINERALS	SUGAR
COOKING	FOODS	NUTRIENTS	VEGETABLES
DIET	FRUITS	ORGANIC	VITAMINS
DIETARY	HEALTHY	PORTION	WHOLE

Puzzle #92

TAKE A HOT SHOWER

```
O E K L C K M H S J C F V T T E Q D B W
G O F O R J U V B H I O S D O C K C T B
I N P Y B F F S T I R O M B F D Q U L O
T O M J I T T Z S Y H B A F C W O N T M
E I N O I T A X A L E R H X O S U W H R
M T G U F J E V W R V U S R U R G I E Q
P A H Y J O T U A U E I Q E F H T N R P
E I J J R N U M T R R E N E W A L D A Q
R L N Z M P O W E V F I A J D W W I P A
A O D A X T D I R O J H Y R A I K N E O
T F R U C K S C S L E H R R O T F G U M
U X F J S M J K I N B O M K G Q O K T A
R E H P M T K O D B E T W N S M L J I F
E V G H K B E D B L H T R C M Q F L C Y
V M O O D A B A R E J U V E N A T I O N
I J C G M G D Z M C L E A N S I N G M Y
C G B B K F I I S O O T H I N G Q A P O
Z L I V H Y G I E N E M O G H S S D S M
Z U J P V P L Y C R E F R E S H I N G O
S R H G P A M P E R I N G R E Y P O D D
```

CLEANSING	MOOD	RENEWAL	TENSION
COMFORT	PAMPERING	REVITALIZING	THERAPEUTIC
EXFOLIATION	REFRESHING	SOOTHING	UNWINDING
HOT	REJUVENATION	STEAM	WARMTH
HYGIENE	RELAXATION	TEMPERATURE	WATER

Puzzle #93

TAKE TIME FOR SELF-REFLECTION

```
D C J E A E F N Z L D L P D V S O W C O
U W B B U T D N O I T C E L F E R G U A
P Q G J Y T X N L I W H Q X G Z K F W N
Z D W R C W E H O A T S L L N R E F H A
N G C N G E B V D I N A P U Q O V Q O L
W O W L E N D Y I I T O L M X L I D I Y
T P I S A C I U L T S A I P E C T A L S
N X I T H R N N T N C C T T M A P X T I
A P L I C F I E O I O E O I O E N G R S
W M H E O E G T G I L I P V D M T I Y X
A U I V A R P B Y I T O T S E E E N N J
R K I N O R T S J L L S S A R R M Q O G
E Q T W D Q N Z O Q M L E J U E Y U T C
N D T H E F U I A R V S E U J L P K R I
E H K U G W U G N T T O F T Q E A O K Z
S N I Y N I Q L W G Z N C N N F K V G B
S Y Y C X U S W N R E V I E W I T Z E Y
X P M A K L T N W E X Y Z P K G U M T Y
C B H X W L N Q I U S K Q S B W C Y F A
D B A S B P F D I P H S Z Q F R H F C S
```

ANALYSIS	EMOTIONAL	INTROSPECTION	PERSPECTIVE
AWARENESS	EVALUATION	LEARNING	QUESTIONING
CLARITY	GROWTH	MEANING	REFLECTION
CONTEMPLATION	INSIGHT	MEDITATION	REVIEW
DISCOVERY	INTELLIGENCE	MINDFULNESS	SOLITUDE

Puzzle #94

PLAN AND HOST PLAYDATES OR SLEEPOVERS

```
V U F K D E C O R A T I O N S N A C K S
O M R C T S F E E I Y D E J Z I C U O G
Z D F G P A V G B T X L R Q P N G N T Y
L T Q V N O B S A G A A D W X N O U W I
X T W U P E D Q H M M D I G I E C E P N
U V O E O J N C C V E P Y D F Q Z D I V
A I E A U X P P R L G S N A E S S W L I
F L N P H M D F A A I O D X L O Q K L T
S Y R I E C S P F Y B N R X P P S N O A
U V E H Y L J S T Z T H Z Y U E Z U W T
J S T S Q M G H S Y V R V C I N Q F S I
P L H D E C G D U V Q K A V R E E E E O
G L G N Y U J N D K H E O P X V M C V N
N V U E T H E M E R H M N L U G F C J H
V C A I G H I U T D S C I S U M D U W Y
F K L R R K Z S E I T I V I T C A W A H
R C F F V S Z T F A T L G D Z R G H K D
R A T I S V R J N S C H E D U L E Q B N
M I C T Q E M I T Y A L P B F E V W K U
J F T N E M N I A T R E T N E F C M S E
```

ACTIVITIES	FRIENDSHIP	MOVIES	PLAYTIME
BONDING	FUN	MUSIC	SCHEDULE
CRAFTS	GAMES	PARTY	SLEEPOVER
DECORATIONS	INVITATION	PILLOWS	SNACKS
ENTERTAINMENT	LAUGHTER	PLAYDATE	THEME

Puzzle #95
TAKE A PHOTOGRAPHY WALK AND CAPTURE BEAUTIFUL MOMENTS

```
H Q I C Y Z K N Z Z W C S Y T T R J E O
U Y Q C V R W Q H D L A N D S C A P E S
R A H V E W E M E R U T C E T I H C R A
Y F D P U K Q N C O M P O S I T I O N O
G Y R E A K P V E A Q B E A U T Y T R L
P W R E R R Y K C C Y H F D I B P W W O
E L E K E U G R P E S Z S U C O F H G D
R B C X P R O O D A S L I A T E D S Q B
S L R I P R U O T X J J G E J A V U C T
P L W W P L R T O O B S H A D O W S O I
E X Y O B Q O L P X H J E F S I M G Q L
C C J R W S G R A A Z P V R B K O Y O Q
T J M A R P F E E N C A O B I X M F H V
I W L H S W R V R R D L W B X Y E S C F
V K S Y H H A Z U H O M S L L A N S X J
E Y N W S B M Y T C N D A I J K T P D H
T M R Y C O E Z A D C T G R H N S I S R
B Z L P O W C X N O F H D W K C R Y B Y
P N X S G J R E N I T A H F V S L S W H
O W D Q Z T S I W F D U V P H W A V M E
```

ARCHITECTURE	DETAILS	LANDSCAPES	PERSPECTIVE
BEAUTY	EXPLORE	LIGHT	PHOTOGRAPHY
CAPTURE	FOCUS	MACRO	SCENERY
COLORS	FRAME	MOMENTS	SHADOWS
COMPOSITION	LANDMARKS	NATURE	WALK

Puzzle #96
CREATE A PLAYLIST WITH UPLIFTING AND SOOTHING MUSIC

```
A D J U Y N W I N C W I N H C M W Z S G
C R J E P G A N E Z I Y L S H O L S S M
T T Y P S S S Y H R C Y P T L F H G Q E
C P H I A O M T A G V O Y O Q W O J S L
L Z G E D A R N R H H H X F X L J M N A
G N F P E M A G M G R W B D F J Y T A N
N Z Z R N I A Z O G N I X A L E R E C C
I U D O U I B I N X C I L S U K R N J H
R C Z N J R X V Y S J G H U A O O E F O
I H M G E N T L E M W J G T F F U R Q L
P N E T F B E Q E W J T E B O E D E L I
S R L E R M L L D W H O B T R O C S Q C
N A O D V A L I I Q X O Y Z H E S A T Y
I M D A X O N C S I U A L F J E H V E H
I B Y N W Q V Q Q S P Y L E U Z R A Q P
W X Z E A Y B M U K F T W Z S L P E H U
M X Q R O X S R V I B U V Q P O E S A D
G G J E G R C A L M L X L N S V M K J L
B Y E S J A C M V B F V K Q M N L E T D
J J Q V K O U P L I F T I N G J C D V Y
```

BLISSFUL	HARMONY	MELODY	SERENE
CALM	INSPIRING	PEACEFUL	SOOTHING
DREAMY	JOYFUL	RELAXING	TRANQUIL
ETHEREAL	MELANCHOLIC	RHYTHM	UPLIFTING
GENTLE	MELLOW	SERENADE	WHOLESOME

Puzzle #97
TAKE A CLASS OR WORKSHOP ON A SUBJECT THAT INTERESTS YOU

```
A L V A R X E T A P I C I T R A P P W K
E X Z C M R B V B K E G U O B G O F E E
J X S T U D Y L N M E N M I C L B H O X
G E C Q S O I Q P L Z N E G E U A Q G P
A Q N E N Q T O K E E L X V H C E I B L
Y Q D H L E W Y P I G A E Q Q X G E R O
V O E A A E P A U G H D R U L J H Z O R
I X E V R N X E B R G P I N L F L X S E
O B Y H L N C G E X E R U J H E J C B V
N I R C V I P E V D E T F B G T L C A J
Y O E C N K D D P E P G S R K M K W E S
W U V M E W N L N V A V A A H T F G L O
R R O X D U E L J A V S D O M N A M B Q
W E C L A N G O D R P R Q B F G N Z P M
D R S M O G G R Z O L X U U N Z F V V H
Y N I P R U J N K C A A E E W W D R A B
J H D X B Y V E D R E K R F Z W R Q A R
D I B L Y B X Y K K E G N E L L A H C N
D W U S X X F J R D F U F H P C L D J C
B B G G T H E E S R E M M I U J E C P Y
```

ABSORB	**DEVELOP**	**ENROLL**	**IMMERSE**
ACQUIRE	**DISCOVER**	**EXCEL**	**LEARN**
BROADEN	**EMPOWER**	**EXPAND**	**MASTER**
CHALLENGE	**ENGAGE**	**EXPLORE**	**PARTICIPATE**
DEEPEN	**ENHANCE**	**GRASP**	**STUDY**

Puzzle #98
WRITING A LIST OF THINGS YOU'RE THANKFUL FOR

```
N T T N E M T N E T N O C C Z R B O I Z
O S H E M A B U N D A N C E E X P I H D
I S J T H J Y J S O H G G T E W D M S Z
T E T W W S L Z L H F Y H T K U F T E I
A N R A N O N J I I L G F G J T R K I T
I I R S P Y R V H K U G Q A C C W R T C
C P A P X L H G F A A A A F M J V F I B
E P M F T I X T L B C R Q O S I J D N G
R A E O O E S Q L R P I S S O M L Z U Q
P H D Y D E N S U A H V E O O L P Y T E
P G U C K E L J E N E R D G B N Y R P
A N T G R R E O J N L H S I L G V U O U
E N I E V I R R V U D I B E S E T L P C
O G T S B G L W F E W N S W I A S N P W
C R A C U V G K Y I X S I N N D O Z O U
L S R N L P N M Q O I G Q K N S J W X G
A E G V C A P Z W N J K L E O Q P P H D
C S R C H O M O G V C W I L A X A P Q B
U X W T U M Z S R I G R R V J G X G H G
W R M O M Y D D X T F X U C S B K A N A
```

ABUNDANCE	FREEDOM	HEALTH	NATURE
APPRECIATION	FRIENDS	JOY	OPPORTUNITIES
BLESSINGS	GRATITUDE	KINDNESS	SUPPORT
CONTENTMENT	GROWTH	LAUGHTER	THANKFULNESS
FAMILY	HAPPINESS	LOVE	WISDOM

Puzzle #99
TAKE ON NEW CHALLENGES AND OPPORTUNITIES

```
W E N W W F Z Z E M P O W E R M E N T A
O O R E M X I K J I N N O V A T I O N I
J O G R O W T H T S E D H M N E H U D C
Y Q C U C E R N S V R O E X G I K P X Q
P B A Y V V U E I A D V E N T U R E R T
G W C H T X R T S U D F N F R I C Y I R
P U Y J Q G A N D E V E L O P M E N T A
A L I D O I P Q S C X M A M B I T I O N
D A U R T B V E T W S C Q S P A L H O S
A S P I E P R T X S D P I N T Q B I I F
P L N U D S L E S P V I P T I S S W Z O
T I E Z J Y I A A Q L X S T E N D Q H R
A M C A B Q M L D K D O T C A M T T O M
B Y L O R H I A I X T W R P O M E P P A
I W K B U N M O S E E H X A M V E N J T
L E F G Q R I P X T N E R G T M E P T I
I N M Q E F A N M D E C D O O I I R D O
T I A W F L Y G G Y L R E K U R O W Y N
Y H I L B S W D E S K L Y M P G U N H H
Q B A C H I E V E M E N T L R B H A B Z
```

ACHIEVEMENT   COURAGE   EXPANSION   LEARNING

ADAPTABILITY   DEVELOPMENT   EXPLORATION   MASTERY

ADVENTURE   DISCOVERY   GROWTH   PROGRESS

AMBITION   EMPOWERMENT   INITIATIVE   RESILIENCE

BREAKTHROUGH   EXCITEMENT   INNOVATION   TRANSFORMATION

Puzzle #100
LEARN TO TRUST YOURSELF AND YOUR DECISIONS

```
E Q N Y L J A B J N Y H K M V Z P Z N M
X C G W V Y F L J L W F P M P H C U S
C A E C N E D I F N O C E H E Q O T U Z
G E D D D F Q V R S T Y V I U V D S V O
K C Z Q I F O P F C E C Z Q L K K H F N
N N E T S D K P P M Q H Q R B E U O Q O
M A Y V A L I D A T I O N O Z Y B S A I
D T I N Z Y T I R A L C L P U N M K U T
Y P O S Z E F R E M P O W E R M E N T I
J E N O S H L X E C N A I L E R J H O U
Q C X T A C F A I T H T K C Q E Q J N T
E C N A D I U G N B S W I S D O M O O N
E A V U G S Y Q J U W A J D A N E V M I
X J Y J J S R X R S K F V D K J D B Y Z
T X A G W T U T J W E D X E S T E E M V
S S E N E R A W A F S T R E N G T H W E
N O I T C I V N O C O G M Y Y S M X P J
R Y K H D K J B X W E C N A R U S S A F
D P V M I A M O U T C E P S E R Q L S W
D E C I S I V E N E S S X H K A Q D X S
```

ACCEPTANCE	CLARITY	ESTEEM	RESPECT
ASSURANCE	CONFIDENCE	FAITH	STRENGTH
AUTONOMY	CONVICTION	GUIDANCE	TRUST
AWARENESS	DECISIVENESS	INTUITION	VALIDATION
BELIEF	EMPOWERMENT	RELIANCE	WISDOM

Puzzle #101

DEVELOP A SUPPORT NETWORK

```
F R I E N D S H I P K W S A I Y M V N J
L Z E F V T R E L A T I O N S H I P S C
Z F D Q I R M W Q B B E L O N G I N G B
K U W B J U X W Y V G S T F G E A P O Y
A N X P C S G G P N T K P N C Q F X H P
N D N I R T X P Y N K S I N C W D G R S
C E V E D Z J W X C Q D A I O B Z J Y O
O R W O T M Z K L N N D D Y L T G R F C
M S T J C W H V R O I T K J L Z R H C J
M T O E C A O R B U S X B C A N W I O O
U A Z L A O C R G S E H P O B D V M N W
N N K X I M M Y K P N M R M O J Z E N K
I D V B S D W M Z I Y O P P R Q L N E L
C I N P Y A A O U G N E M A A B S T C Q
A N G N B C X R R N T G D S T H F O T C
T G S T G H A E I K I O J S I H E R I Z
I B S A C R N Q U T I T K I O G Y S O V
O T X X K Y P C U I Y O Y O N I Z H N S
N P Z D S K Z H C D X Z Y N C K W I P O
D J T E N C O U R A G E M E N T D P E X
```

ADVOCACY	**COMMUNITY**	**FRIENDSHIP**	**SOLIDARITY**
BELONGING	**COMPASSION**	**GUIDANCE**	**SYNERGY**
BONDING	**CONNECTION**	**MENTORSHIP**	**TEAMWORK**
COLLABORATION	**EMPATHY**	**NETWORKING**	**TRUST**
COMMUNICATION	**ENCOURAGEMENT**	**RELATIONSHIPS**	**UNDERSTANDING**

Puzzle #102

CREATE A POSITIVE WORK ENVIRONMENT

```
H K V K D L K A Y F N Y H D T Q N D C E
T I Y D S B R Y S R X T E E N K K X A Z
J N C T Z S Y G Y X W L R V V K Y Y Y J
K N O S I M E Q Q O P D L M V T C T E R
M O M K T L Y N R O F M T A I S I I M E
C V M B R N I G L Y U R M V J V Z V P C
O A U D R E A B T L O E I R I M S I O O
A T N L M G S I I P E T A S M O X T W G
P I I H H P S P P X A W U M Z T I I E N
P O C T F R Q U E E E L Q X V I I S R I
R N A J E S S F R C C L U O S V D O M T
E I T V I C L C E N T U F K Z A J P E I
C V I Y T T U K I A J J T R Z T M E N O
I D O J Q S S T B K H S D O Y I Y N T N
A G N S N V U B L L B E F W N O G Z U K
T W Y G R L W R H P O A W M J N E P G V
I E D Y R N O I T A R O B A L L O C X Z
O T N E M E G A R U O C N E E K Q A I N
N P I I K G L H J X W F G T J D U U S Y
R R V F G T R A N S P A R E N C Y A P N
```

APPRECIATION	EMPOWERMENT	INNOVATION	SUPPORT
COLLABORATION	ENCOURAGEMENT	MOTIVATION	TEAMWORK
COMMUNICATION	FLEXIBILITY	POSITIVITY	TRANSPARENCY
CREATIVITY	GROWTH	RECOGNITION	TRUST
DIVERSITY	INCLUSIVITY	RESPECT	WELLNESS

Puzzle #103

TAKE REGULAR BREAKS

```
O H T G R L S W B F U M G X J Q W Q T L
K N F O J R E F L E C T R W U O L G R P
T D T M R E F R E S H U Z G A I B N G O
V B R E A T H E Z F U N D A K R Y V J M
V M S T R E T C H K V W E F G M E P K S
O M E W E L X C I A I I G C U G G S Y B
X E Z D E Z O O R S N N R Z L Q N X T J
C U Z T I N I L T Z G D A V P C N X X N
G R C I E T E G P E L A H Q N T Z A H J
A E A H L S A R R M D E C M U O A S H N
Q V L Z E A E T U E X K E M F T M W L O
A I I Y M Y T R E Q N O R S M B X O L G
K V G H R Y P I X A L E R Q J Y N F R L
N E M S D D N Y V F L U M O A Q A Q U B
R M E I M I E E I E K E H Q J L I F P K
R S K R K Z S F I R R D W X V D C A T U
G P W U H G U G Y D E C O M P R E S S E
L J J O J H A M Z C B K R T F J M V H T
Y B Z N W Z P R E G E N E R A T E F U G
G P Q F T F H C N O E G X G A R E J O A
```

BREATHE	**NOURISH**	**REGENERATE**	**REVITALIZE**
DECOMPRESS	**PAUSE**	**RELAX**	**REVIVE**
DETOX	**RECHARGE**	**RENEW**	**STRETCH**
ENERGIZE	**REFLECT**	**RESET**	**UNPLUG**
MEDITATE	**REFRESH**	**REST**	**UNWIND**

Puzzle #104

TALK TO A TRUSTED FRIEND OR THERAPIST

```
U E X P R E S S U U Y Y I M X Z C A C K
E F E D I F N O C A K J W H N L H L W R
L F R U E Z U S E T Q F C E S C V J U J
R F V L F T S K S E Z Z D O E Y F W A P
O E C R F L A Q D S V R V O N V B O G V
S R F O Z Q M D X L U L A R Q S K X K B
R F Z N L V E S I B D C O N T T U H P O
J I N U E L F S N L K V S A O H L W O
S S U E R T A U A N A C O I E L K G T W
Z C S K I E S B S E C V J L D R Y U Z C
Y O E E Z K F I O S L J C E Y T K Z O O
U M I E C Q H L L R X E A Y C T O U E J
A M P N I O W O E N A S R E S Y N C D N
H U V L S T R E U C J T N Y L S H E B Y
X N Z E C I O P R F T N E Q E D O G V X
V I K V S V G B U A O U C L T S Q U P G
I C N Q Y Q D H R C H E S P G S T E D U
Y A T P I M U Q T R O S T B H T N A J V
P T Y P J U Q H Q J Q I L T U Q Q L R G
T E S E E Z I H T A P M E U X P F M C L
```

ANALYZE	CONSULT	INSIGHT	RESOLVE
COLLABORATE	COUNSEL	LISTEN	SHARE
COMMUNICATE	DISCUSS	PROCESS	UNBURDEN
CONFIDE	EMPATHIZE	REFLECT	VALIDATE
CONNECT	EXPRESS	RELEASE	VENT

Puzzle 1 - Solution

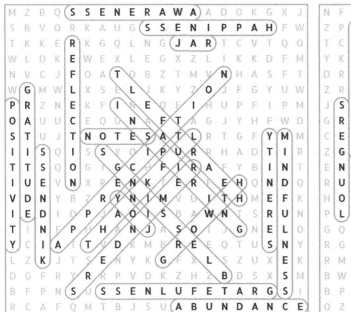

Puzzle 2 - Solution

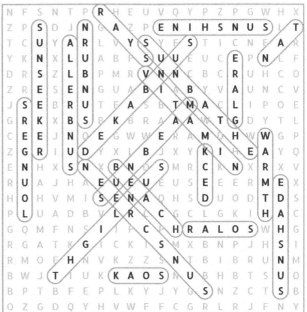

Puzzle 3 - Solution

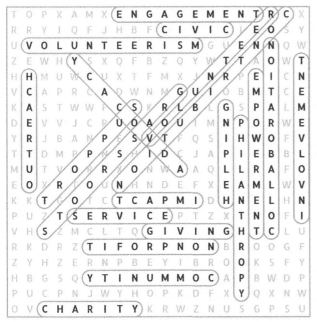

Puzzle 4 - Solution

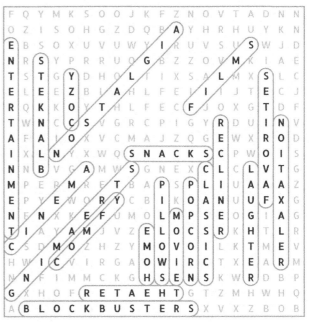

Puzzle 5 - Solution

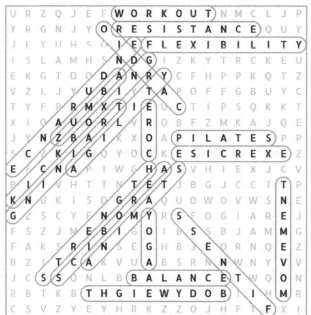

Puzzle 6 - Solution

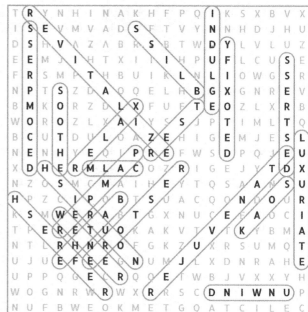

Puzzle 7 - Solution

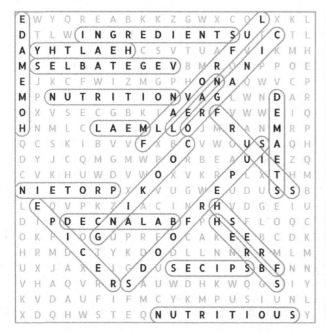

Puzzle 8 - Solution

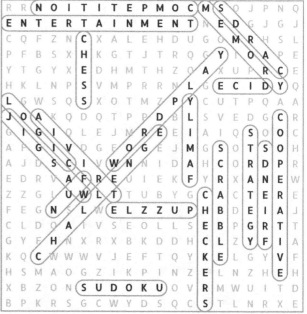

Puzzle 9 - Solution

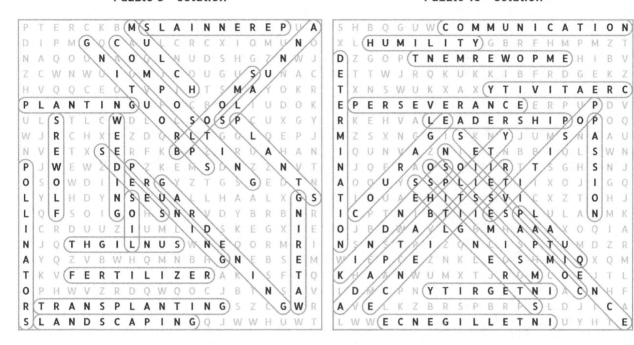

Puzzle 10 - Solution

Puzzle 11 - Solution

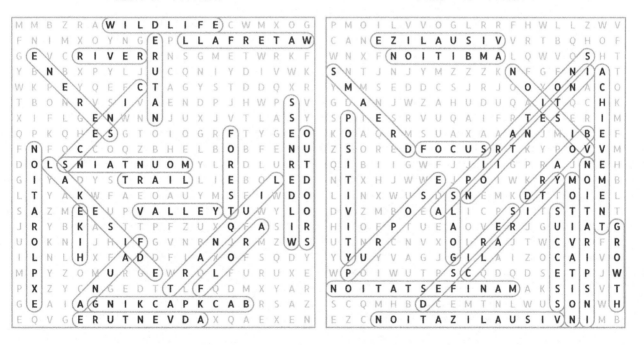

Puzzle 12 - Solution

Puzzle 13 - Solution

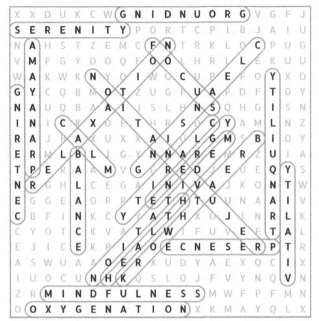

Puzzle 14 - Solution

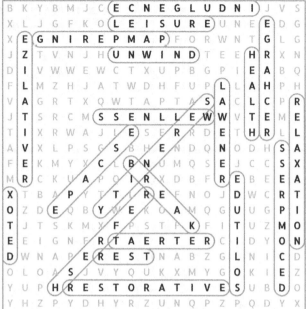

Puzzle 15 - Solution

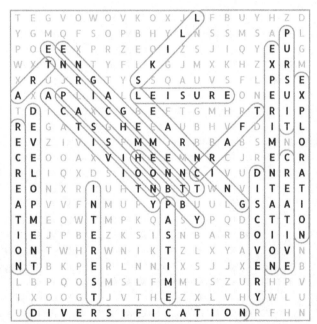

Puzzle 16 - Solution

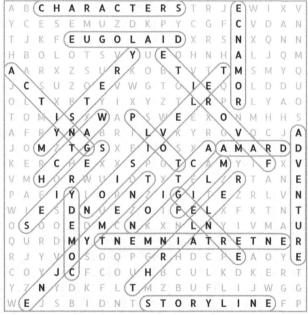

Puzzle 17 - Solution

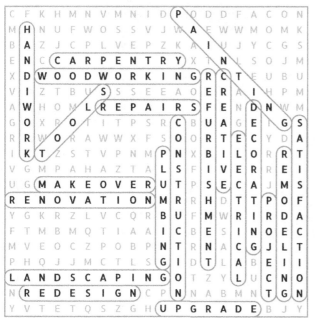

Puzzle 18 - Solution

Puzzle 19 - Solution

Puzzle 20 - Solution

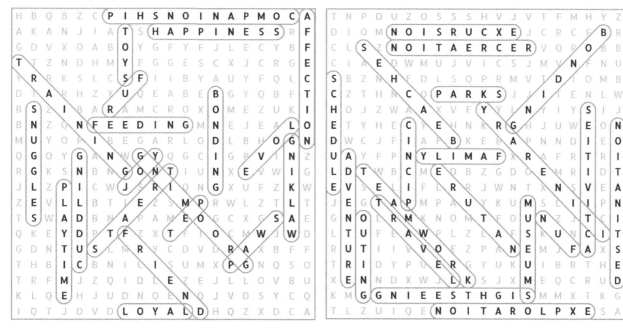

Puzzle 21 - Solution

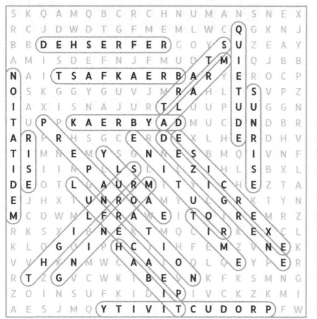

Puzzle 22 - Solution

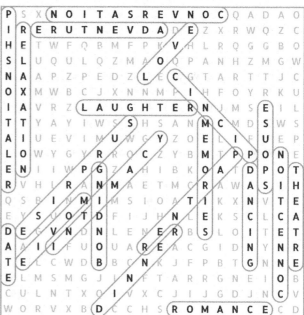

Puzzle 23 - Solution

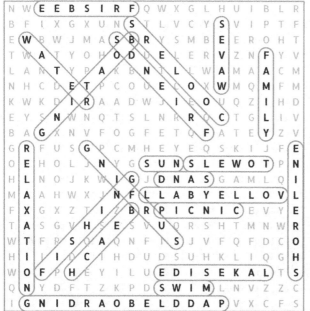

Puzzle 24 - Solution

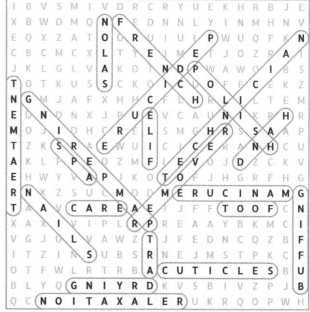

Puzzle 25 - Solution

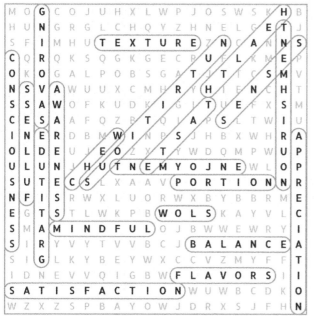

Puzzle 26 - Solution

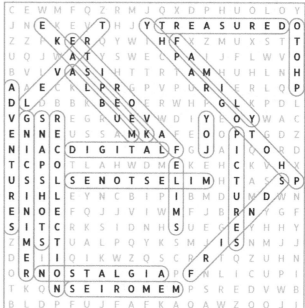

Puzzle 27 - Solution

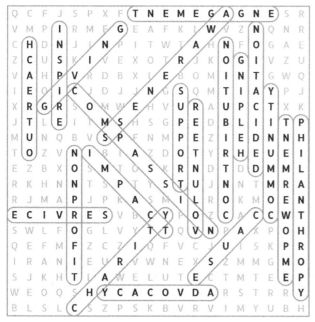

Puzzle 28 - Solution

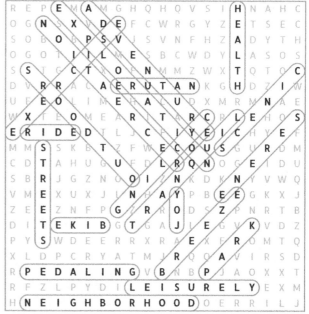

Puzzle 29 - Solution

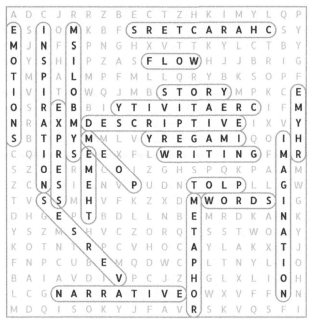

Puzzle 30 - Solution

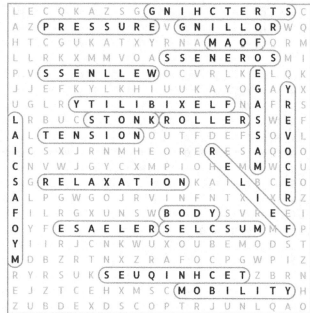

Puzzle 31 - Solution

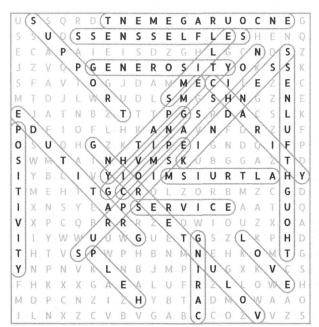

Puzzle 32 - Solution

Puzzle 33 - Solution

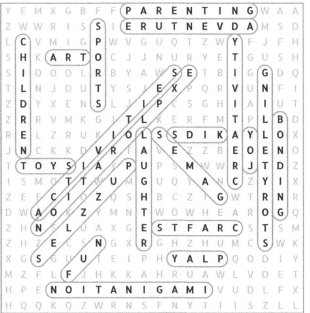

Puzzle 34 - Solution

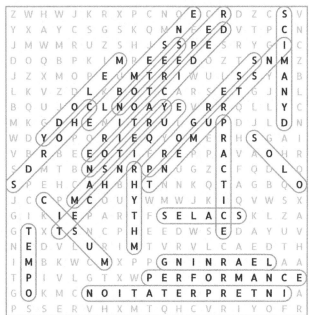

Puzzle 35 - Solution

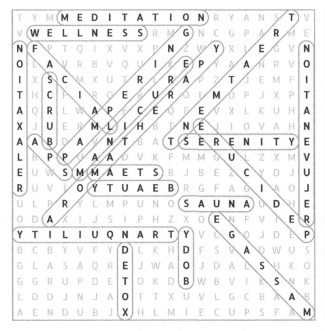

Puzzle 36 - Solution

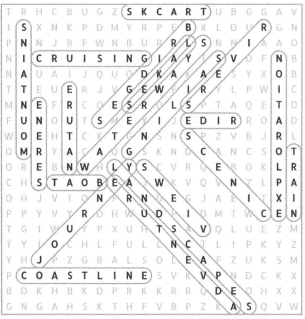

Puzzle 37 - Solution

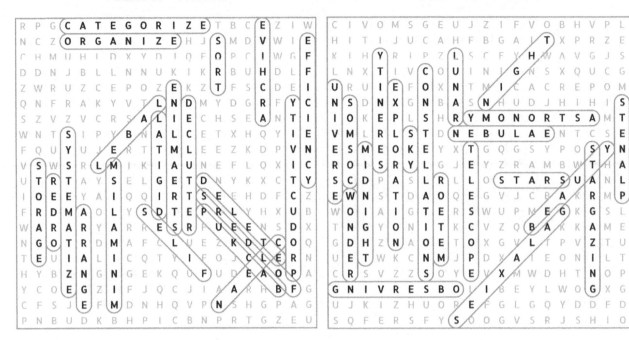

Puzzle 38 - Solution

Puzzle 39 - Solution

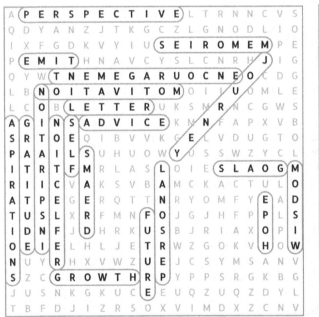

Puzzle 40 - Solution

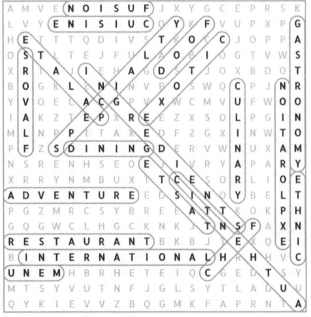

Puzzle 41 - Solution

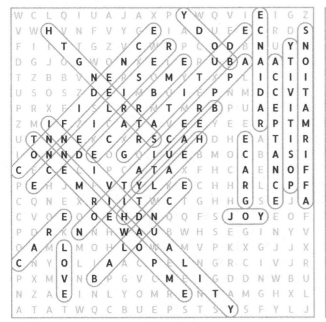

Puzzle 42 - Solution

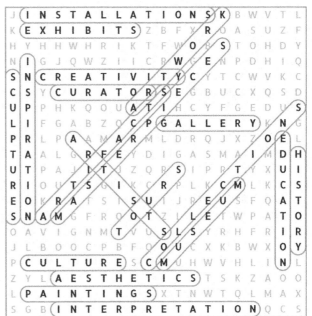

Puzzle 43 - Solution

Puzzle 44 - Solution

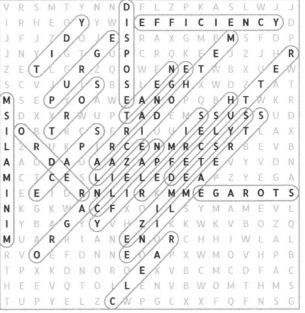

Puzzle 45 - Solution

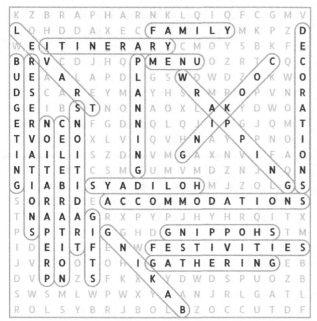

Puzzle 46 - Solution

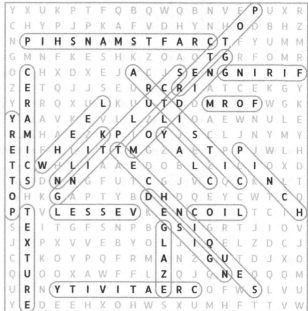

Puzzle 47 - Solution

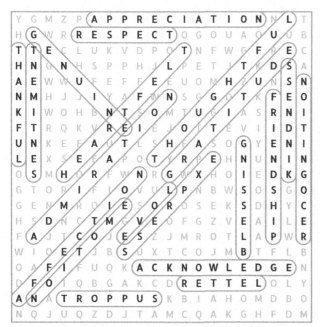

Puzzle 48 - Solution

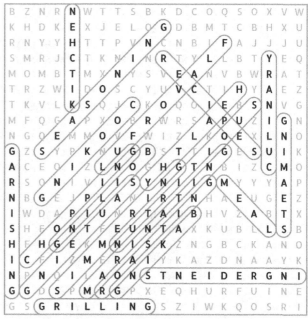

Puzzle 49 - Solution

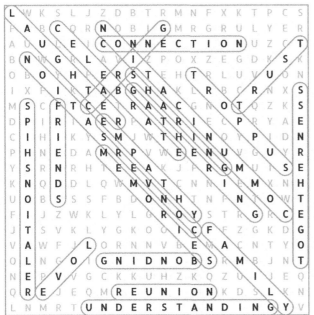

Puzzle 50 - Solution

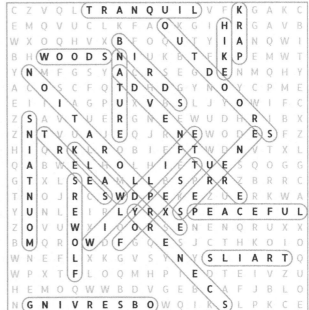

Puzzle 51 - Solution

Puzzle 52 - Solution

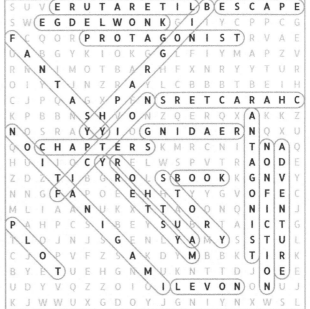

Puzzle 53 - Solution

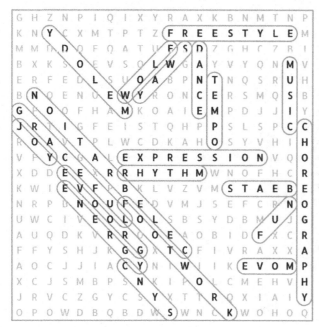

Puzzle 54 - Solution

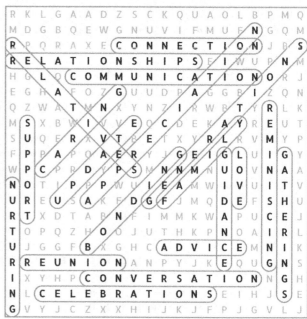

Puzzle 55 - Solution

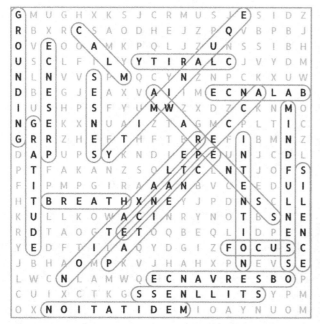

Puzzle 56 - Solution

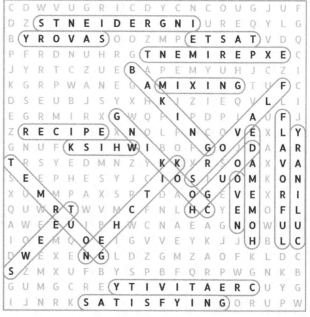

Puzzle 57 - Solution

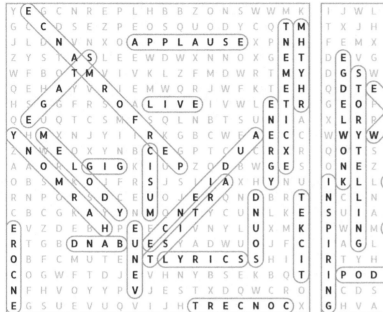

Puzzle 58 - Solution

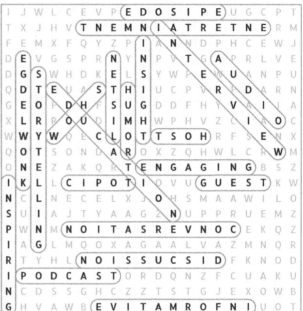

Puzzle 59 - Solution

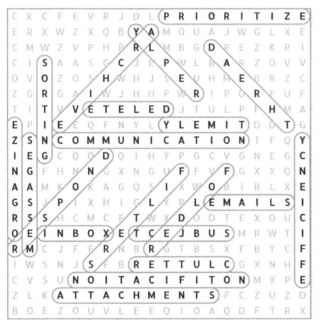

Puzzle 60 - Solution

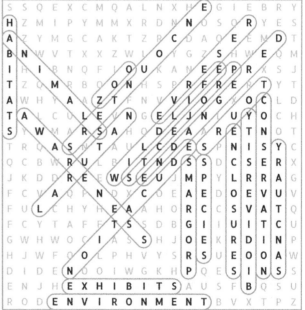

Puzzle 61 - Solution

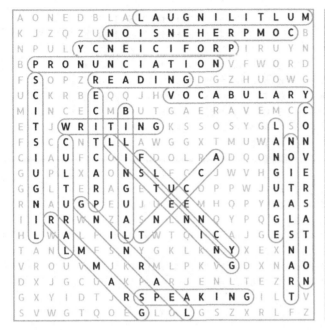

Puzzle 62 - Solution

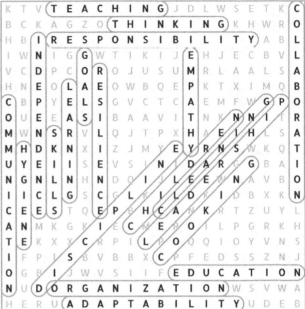

Puzzle 63 - Solution

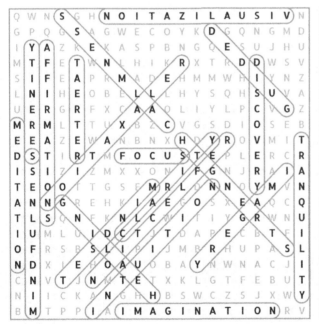

Puzzle 64 - Solution

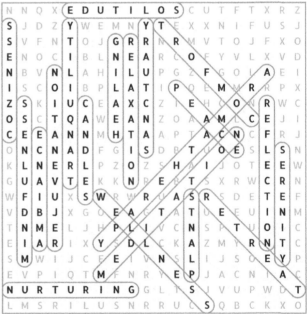

Puzzle 65 - Solution

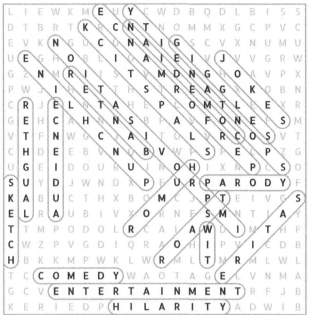

Puzzle 66 - Solution

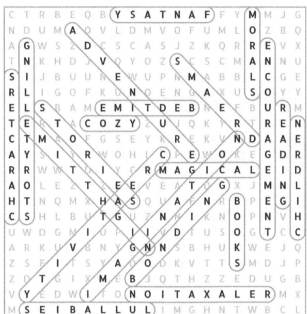

Puzzle 67 - Solution

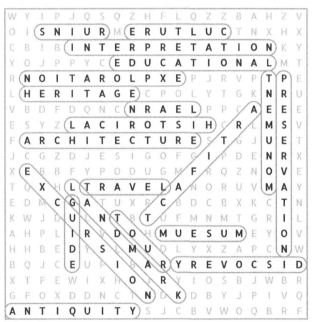

Puzzle 68 - Solution

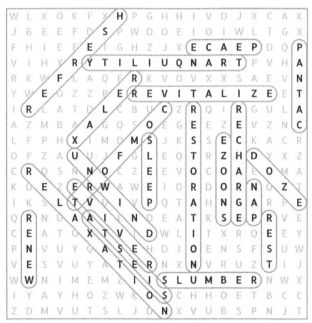

Puzzle 69 - Solution

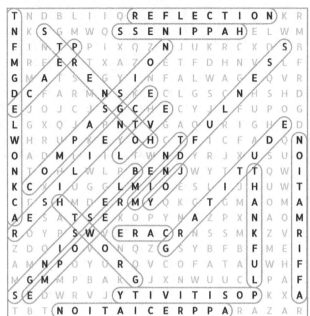

Puzzle 70 - Solution

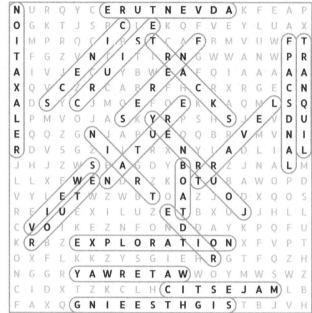

Puzzle 71 - Solution

Puzzle 72 - Solution

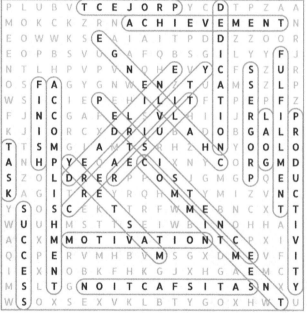

Puzzle 73 - Solution

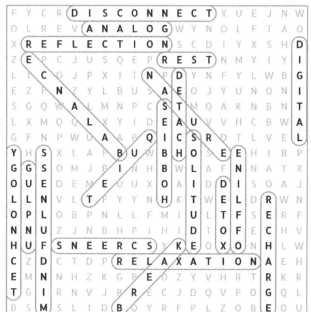

Puzzle 74 - Solution

Puzzle 75 - Solution

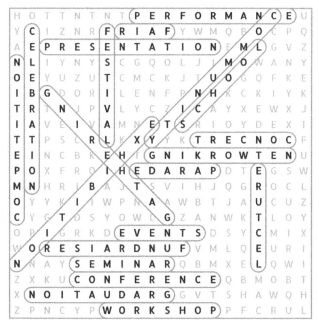

Puzzle 76 - Solution

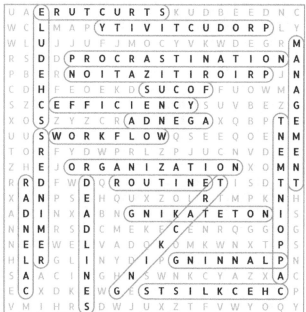

Puzzle 77 - Solution

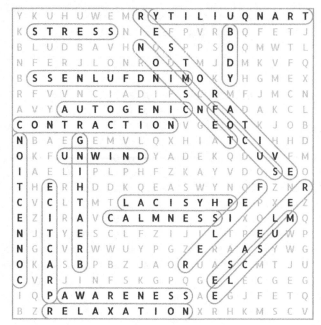

Puzzle 78 - Solution

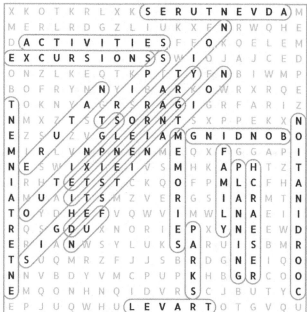

Puzzle 79 - Solution

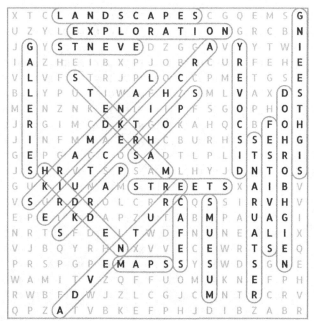

Puzzle 80 - Solution

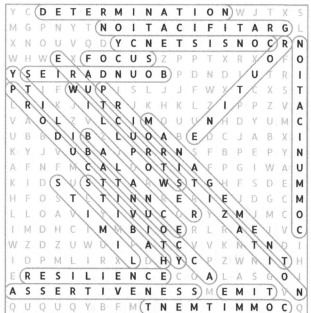

Puzzle 81 - Solution

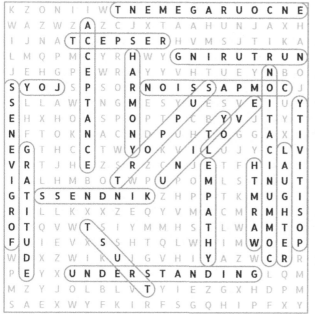

Puzzle 82 - Solution

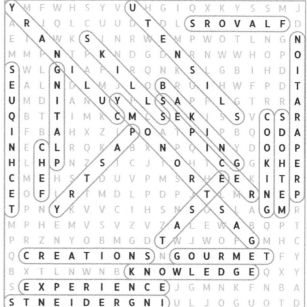

Puzzle 83 - Solution

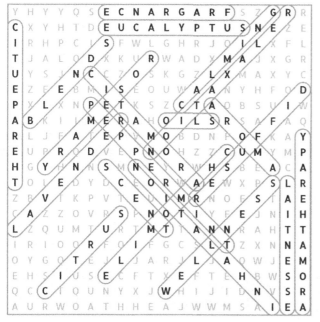

Puzzle 84 - Solution

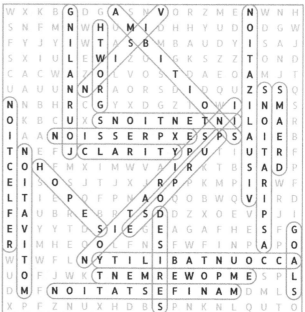

Puzzle 85 - Solution

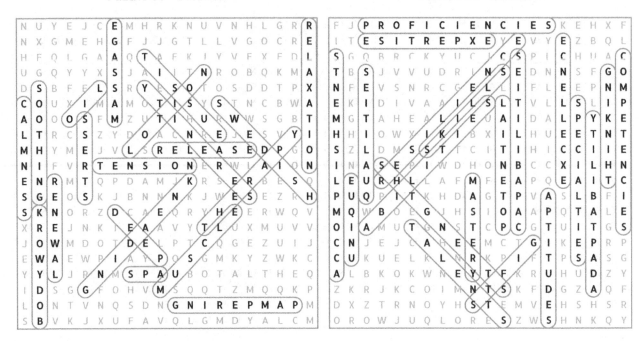

Puzzle 86 - Solution

Puzzle 87 - Solution

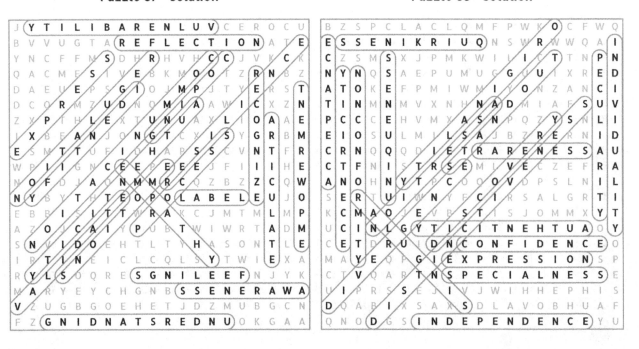

Puzzle 88 - Solution

Puzzle 89 - Solution

Puzzle 90 - Solution

Puzzle 91 - Solution

Puzzle 92 - Solution

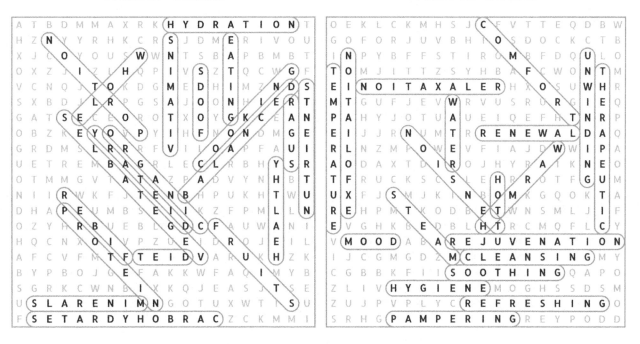

Puzzle 93 - Solution

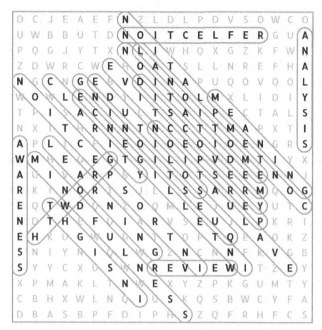

Puzzle 94 - Solution

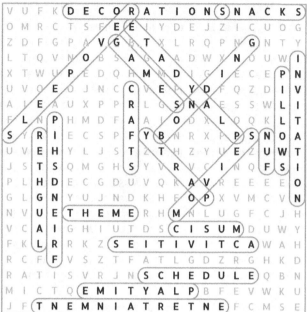

Puzzle 95 - Solution

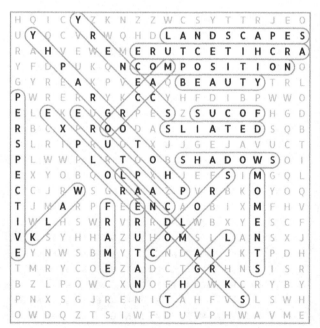

Puzzle 96 - Solution

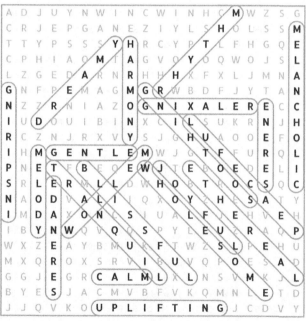

Puzzle 97 - Solution

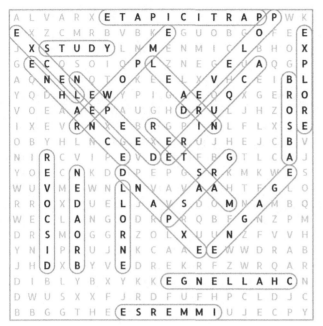

Puzzle 98 - Solution

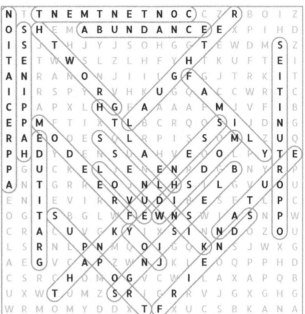

Puzzle 99 - Solution

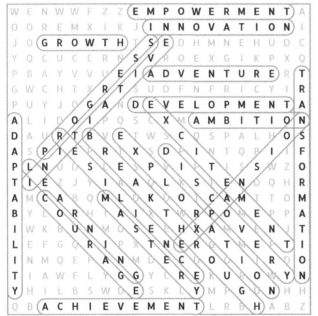

Puzzle 100 - Solution

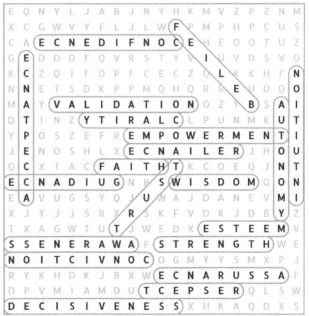

Puzzle 101 - Solution

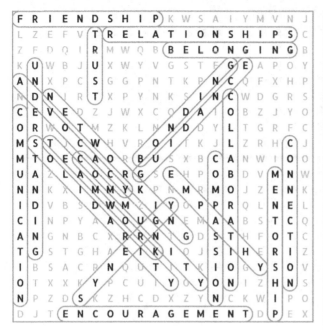

Puzzle 102 - Solution

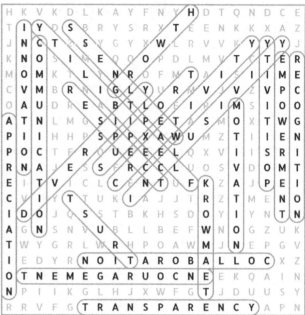

Puzzle 103 - Solution

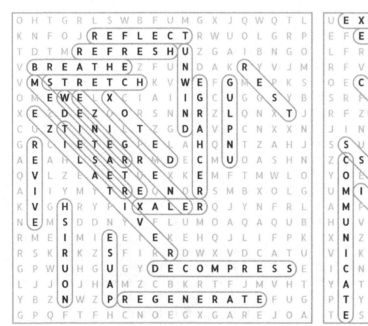

Puzzle 104 - Solution

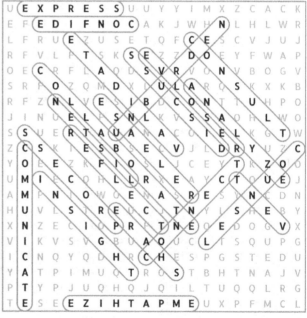

Made in United States
Orlando, FL
02 October 2023